古龙经典

七种武器

长生剑·孔雀翎

文匯出版社

图书在版编目（CIP）数据

七种武器. 1，长生剑·孔雀翎 / 古龙著. -- 上海 :
文汇出版社，2017.9
（古龙文集）
ISBN 978-7-5496-2300-6

Ⅰ. ①七… Ⅱ. ①古… Ⅲ. ①侠义小说—中国—当代
Ⅳ. ①I247.5

中国版本图书馆CIP数据核字（2017）第219892号

著作权合同登记号：09-2017-710

七种武器1：长生剑·孔雀翎

作　　者 / 古　龙

责任编辑 / 甘　棠
特邀编辑 / 周奥扬　闵　唯
封面装帧 / 李子琪

出版发行 / 文匯出版社
上海市威海路755号
（邮政编码200041）
经　　销 / 全国新华书店
印刷装订 / 北京中科印刷有限公司
版　　次 / 2017年9月第1版
印　　次 / 2017年9月第1次印刷
开　　本 / 890mm×1270mm　1/32
字　　数 / 216千字
印　　张 / 8.75

ISBN 978-7-5496-2300-6
定　　价 / 58.00元

目　录

长生剑

孔雀翎

七个不平凡的人。

七种不可思议的武器。

七段完全独立的故事。

长生剑

第一章

风云客栈

天上白玉京，五楼十二城。

仙人抚我顶，结发受长生。

01

黄昏。

石板大街忽然出现了九个怪人，黄麻短衫，多耳麻鞋，左耳上悬着个碗大的金环，满头乱发竟都是赤红色的，火焰般披散在肩上。

这九个人有高有矮，有老有少，容貌虽然不同，脸上却全都死人般木无表情，走起路来肩不动、膝不弯，也像是僵尸一样。

他们慢慢地走过长街，只要他们经过之处，所有的声音立刻全都停止，连孩子的哭声都被吓得突然停顿。

大街尽头，一根三丈高的旗杆上，挑起了四盏斗大的灯笼。

朱红的灯笼，漆黑的字。

“风云客栈”。

九个赤发黄衫的怪人，走到客栈门前，停下脚步，当先一人摘下了耳上金环，一挥手，“夺”地，钉在黑漆大门旁的石墙上。

火星四溅，金环竟嵌入石头里。

第二人左手扯起肩上一束赤发，右掌轻轻一削，宛如刀锋。

他将这束用掌缘割下来的赤发，系在金环上，九个人就又继续往前走。

赤发火焰般在风中飞卷，这九个人却已消失在苍茫的暮色里。

就在这时，暮色中却又驰来八匹健马，马蹄踏在石板大街上，如密雨敲窗，战鼓雷鸣。

马上人一色青布箭衣，青帕包头，脚上搬尖洒鞋，系着倒赶千层浪的绑腿，一个个全都是神情剽悍，身手矫捷。

八匹马在风云客栈门前飞驰而过，八个人同时一挥手。

刀光如闪电一般一亮，又是“夺”的一声响，海碗般粗的旗杆上，已多了八柄雪亮的钢刀。

刀柄犹在不停地颤动，柄上的红绸刀衣“呼”的一声卷起。

八匹马却已看不见了。

暮色更浓，大街上突又响起了一阵蹄声，仿佛比那八骑驰来时更急更密。

但来的却只有一匹马。

一匹白马，从头到尾，看不到丝毫杂色，到了客栈门前，突然一声长嘶，人立而起。

大家这才看清马上的人，是个精赤着上身的虬髯大汉，一身黑肉就像是铁打的。

这大汉收缰勒马，看见了门侧的金环赤发，也看见了旗杆上的八把刀，突然冷笑了一声，自马鞍上一跃而下，左右双手握住了两条马腿。

只听他吐气开声，霹雳般一声大吼，竟将这匹马高高地举了起来，送到门檐上。

白马又一声长嘶，马鬃飞舞，四条腿却似已钉在门檐上，动也不动。

虬髯大汉仰天一声长笑，撒开大步，转瞬间也已走得不知去向，只留下一匹白马孤零零地站在暮云西风里，更显得说不出的诡异。

长街上已看不见人影，家家户户都闭上了门。

风云客栈中也寂无人声，本来住店的客人，看到这一枚金环、八柄钢刀时，早已从后门溜了。那匹白马却还是动也不动地站在西风里，就像是石头雕成的。

这时静寂的长街上，忽然又有个蓝衫白袜、面容清癯的中年文士施施然走了过来，神情仿佛很悠闲，但一双眸子里却闪着精光。

他背负着双手，施施然走到客栈门前，抬头看了一眼，长叹道："好马！端的是好马，只可惜主人无情，委屈你了。"他背负着的手突然一扬，长袖飞卷，带起了一阵急风。

白马受惊，又是一声长嘶，从门檐上跃下。

这中年文士双手一托，竟托住了马腹，将这匹马轻轻放在地上，拍了拍马腹，道："回去载你的主人来，就说这里有好朋友在等着他。"

白马竟似也懂得人意，立刻展开四蹄，飞驰而去。

中年文士随手拔下了门侧的金环，走入客栈，在旗杆上一敲。

八柄钢刀立刻同时落了下来。

中年文士长袖又卷，已将这八柄刀卷在袖里，沉声道："掌旗何在？"

客栈中突然掠出一条瘦小的人影，猿猴般爬上旗杆，一眨眼间人已在杆头。

杆头上立刻有一面大旗飞卷而出。

雪白的旗帜上，绣着条张牙舞爪的乌黑长龙，仿佛也将破云飞去。

02

夜。

无星无月，云暗风高。

院子里却是灯火通明，还摆着一桌酒。

中年文士正在曼声低吟，自斟自饮，忽然举起酒杯，对着院外一株大榕树笑了笑，道："久闻苗帮主有江海之量，既已来了，为何还不下来共饮一杯？"

榕树浓荫中，立刻也响起了一阵夜枭般的怪笑声，一条人影箭一般射下来，落在地上，却轻得像是四两棉花。

这人狮鼻阔口，满头赤发，耳垂却戴着三枚金环，人已落下，金环还在不停地"叮当"作响，正是赤发帮的总瓢把子，"火焰神"苗烧天。

他的一双眼睛里，也仿佛有火焰在燃烧着，盯着这中年文士，沉声道："阁下可是青龙会中的公孙堂主？"

中年文士长身抱拳，道："正是公孙静。"

苗烧天夜枭般的笑声又响了起来，大笑道："果然不愧是青龙会的第一号人物，好亮的一双招子。"

突听马蹄声响，如密雨连珠般疾驰而来。

苗烧天两道火焰般的浓眉皱了皱，道："小张三也来了，来得倒真不慢。"

马蹄声突然停顿，一人朗声笑道："青龙老大的约会，江湖中有谁敢来慢了的？"

朗笑声中，一个人已越墙而入，一身雪白的急服劲装，特地将衣襟敞开，露出坚实强壮的胸膛，却比衣裳更白。

苗烧天一挑大拇指，哈哈大笑道："好一个白马小张三，几年不见，你怎么反倒愈长愈年轻，愈长愈漂亮了，老苗若有女儿，一定挑你做女婿。"

白马张三淡淡道："你就算有女儿，也没有人敢要的。"

苗烧天瞪眼道："为什么？"

白马张三道："像阁下这副尊容，生出来的女儿也一定好不了哪儿去。"

苗烧天瞪着他，瞪了半天，道："今天我们是专做买卖的，要打架也不必着急。"

白马张三道："要喝酒呢？"

苗烧天大笑道："那就愈急愈好了，来，咱们哥儿俩先来敬公孙堂主三杯。"

公孙静笑了笑，道："在下酒量不好，不如还是让在下先敬三位一杯。"

苗烧天又皱了皱眉，道："三位？"

只听对面屋脊上一人笑道："河东赤发、河西白马既然都已来了，赵某怎敢来迟？"

苗烧天道："太行赵一刀？"

他已用不着再等人回答。

他已看见了一柄雪亮的刀，快刀！

没有刀鞘。

雪亮的刀就插在他的红腰带上。

青布箭衣，青帕包头，一条腰带布比苗烧天的头发还红，恰巧和他血红的刀衣相配。

公孙静目光却像是他的刀，刀一般从他们脸上刮过，缓缓道："青龙会发出了十二张请帖，今夜却只到了三位，还有九位莫非已不会来了？"

赵一刀道："好，问得干脆。"

公孙静道："三位不远千里而来，当然不是来听废话的。"

赵一刀道："的确不是。"

苗烧天狞笑道："还有那九位客人，至少已有三位不会来了。"

赵一刀道："是六位。"

苗烧天道："青竹帮、铁环门和太原李家来的人是我做了的。"

赵一刀道："十二连环坞、长江水路，和辰州言家拳的三位朋友，半路上忽然得了怪病，头痛如裂，所以……"

苗烧天道："所以怎么样？"

赵一刀道："他们的头现在已不疼了。"

苗烧天道："谁替他们治好了的？"

赵一刀道："我。"

苗烧天道："怎么治的？"

赵一刀道："我砍下了他们的脑袋。"

他淡淡地笑着道："无论谁的头被砍下来后，都不会再疼的。"

苗烧天大笑，道："好法子，真痛快。"

白马张三忽然道："万竹山庄和飞鱼塘来的两位前辈，只怕也不能来了。"

苗烧天道："哦？"

白马张三道："他们都已睡着，而且睡得很深很沉。"

苗烧天道："睡在哪里？"

白马张三道："洞庭湖底。"

苗烧天大笑道："妙极，那里睡觉不但凉快，而且绝不会被人吵醒。"

白马张三淡淡道："我对武林前辈们，一向照顾得很周到的。"

赵一刀道："该来的人，想必都已来了，却不知青龙会的货在哪里？"

公孙静微笑道："好，问得干脆。"

赵一刀道："堂主专程请我们来，当然也不是为了要听废话的。"

公孙静慢慢地点了点头，道："的确不是。"

赵一刀道："堂主是不是想着先听听我们的价钱？"

公孙静道："现在还不急。"

赵一刀道："还等什么？"

公孙静道："这批货我们得来不易，总希望出价的人多些，出的价才会高些。"

苗烧天瞪眼道："堂主还要等人？"

公孙静道："莫忘记本堂还有九位客人要来，阁下却只做掉了八位。"

苗烧天道："还有一个人是谁？"

公孙静笑了笑，道："是个头既不疼，也不会睡着的人。"

苗烧天冷笑道："老实说，这批货赤发帮已势在必得，无论再有什么人来，也一样没用。"

白马张三冷冷道："青龙会做生意一向公道，只要赤发帮的价钱高，这批货自然归赤发帮。"

苗烧天厉声道："莫非你还想抢着出价？"

白马张三道："否则我为何要来？"

苗烧天霍然长身而起，瞪着他，耳上的金环又在叮叮作响。

突听车辚马嘶，一辆六匹马拉的华丽大车，停在门外。

四个挺胸凸肚的彪形大汉，跨着车辕，一跃而下，躬身拉开了车门。

过了半晌，才有个面白无须，痴肥臃肿的白胖子，喘着气从车厢里出来，还没有走到三步路，已累得气喘如牛。

他身后还有个又高又瘦的黑衣人，像影子般紧紧跟着他，一张焦黄的脸，两只眼睛凹了下去，像是个痨病鬼，但脚步却极轻健，腰上挂着对银光闪闪的东西，仔细一看，竟是对弧形剑。

这种外门兵刃不但难练，而且打造也不容易，江湖中使这种兵刃的人一向不多，能使这种兵刃的，十个人中就有九个是高手。

苗烧天、赵一刀、白马张三，三双锐利的眼睛立刻盯在这对弧形剑上。

白马张三皱了皱眉，沉声道："这人是谁？"

公孙静道："苏州万金堂的朱大少。"

白马张三道："他的保镖呢？"

公孙静微笑道："恐怕他只是个保镖的。"

白马张三沉吟着，霍然转向赵一刀，道："他是不是从你那条路上来的？"

赵一刀道："好像是。"

白马张三道："他的头怎么不疼？"

赵一刀道："他就算头疼，我也治不了。"

白马张三道："为什么？"

赵一刀淡淡道："他的头太大了。"

朱大少已经坐下来，却还是在不停地擦着汗，喘着气。

他一共也只不过走了二三十步路，看来却像是刚爬过七八座山似的。

那黑衣人也还是影子般贴在他身后，寸步不离。一双鹰爪般干枯瘦削的手，也始终未离开过腰畔的那对奇门弧形剑。

他深凹的漆黑眼睛里，带着种奇特的嘲弄之意，仿佛正在嘲笑着眼前这些人，为什么要来白跑这么一趟。

风云客栈的灯笼在风中摇荡，苗烧天耳上的金环犹在叮当发响。

白马张三似乎觉得有些寒意，悄悄地将自己敞开的衣襟拉紧了些。

赵一刀却在看着面前的酒杯沉思，心里仿佛有个很大的难题要他来下决定。

没有人说话，因为彼此之间都充满敌意。

公孙静却显然很欣赏他们这种敌意，长长地松了口气，微笑着道："四位纵不相识，想必也已彼此闻名，用不着我再引见了。"

苗烧天道："的确用不着。"

白马张三道："我们本就不是来交朋友的。"

苗烧天斜眼盯着他，道："就算本来是朋友，为了这批货，也不是朋友了。"

白马张三冷笑一声道："苗峒主一向是个明白人。"

苗烧天也冷笑了两声，道："现在人既已到齐，货呢？"

公孙静道："当然有货的，只不过……"

苗烧天道："只不过怎么样？"

公孙静道："青龙会做生意，一向规规矩矩，讲究的是童叟无欺，现金交易。"

苗烧天道："好！"

他一拍手，那九个麻衣赤发的怪人，就已忽然自黑暗中出现，每个人手里都提着个麻布包袱，分量显然不轻。

这时门口已又响起一阵沉重的脚步声，那虬髯大汉双手高举着个大铁箱，一步步走了进来，黑铁般的肌肉一块块凸起，每一步踩下去，地上就立刻多出个很深的脚印。

公孙静微笑道："金环入墙，白马啸风，在下一见，就知道赤发九杰和金刚力士都已来了。"

白马张三道："莫忘了还有急风八刀。"

赵一刀终于抬起头笑了笑，道："河东赤发、河西白马，全部财雄势大，太行快刀怎么敢来争锋，这批货，咱们兄弟就算放弃了。"

苗烧天仰面狂笑道："好，赵老大才真的是明白人。"

他笑声忽然停顿，目光火焰般盯着朱大少，沉声道："却不知万金堂的少主人意下如何？"

朱大少的喘息总算已停止，正在凝视着自己的手，就好像一个少年在看着他的初恋情人的手儿一样。

可是他还是回答了苗烧天问他的话，他反问道："你在问我有什么意见？"

苗烧天道："哼。"

朱大少道："我没有意见，我一向很懒得动脑筋。"

苗烧天面上已现出怒容，道："没有意见？有没有金子？"

朱大少道："有。"

苗烧天道："带来了多少？"

朱大少道："你想看看？"

苗烧天道："这里一向讲究的是现金交易。"

朱大少道："你已经看过了。"

苗烧天道："在哪里？"

朱大少道："我说出来的话就是现金。"

苗烧天的脸沉了下来，道："所以你说多少，就算多少？"

朱大少道："不错。"

苗烧天道："我若出价十万，你就说十万另一百两？"

朱大少道："你果然是个明白人。"

苗烧天的目光，忽然移向那对弧形剑。

那九个麻衣赤发的怪人，已悄悄展动身形，将朱大少包围。

朱大少却还是在凝视着自己的一双手，好像世上除了这双手外，已没有任何值得他看的东西。

突听"叮"的一声，金环相击，苗烧天的手已向弧形剑抓了过去。

他的出手快而准。

他从未想到还有一双手比他更快——一双肥胖而保养得极好的手。

他的手还未搭上弧形剑，这双手已忽然间将耳上的金环解下来。

金环相击，又是"叮"的一响。

苗烧天凌空翻身，退出两丈。

黑衣人还是影子般贴在朱大少身后，一动也不动。

朱大少还是凝视着自己的手，只不过手里却已赫然多了对金环。

白马张三的脸色也变了。

赵一刀看着面前的酒杯，忽然轻轻叹了口气，道："你明白我的意思了吗？"

白马张三道："什么意思？"

赵一刀道："他就算头疼，我也治不好的。"

白马张三也不禁轻轻叹了口气，喃喃道："不错，他的头实在太大了。"

公孙静面上又露出微笑，缓缓道："既然大家都已带来了现金，现在先不妨去看货了。"

苗烧天眼睛里布满红丝，瞪着朱大少。

朱大少却悠然道："不错，还是先看货的好，也许我还未必肯出价哩。"

他将手里的金环放在桌面上，掏出雪白的丝巾，仔细地擦了擦手，才慢慢地站起来，道："请，请带路。"

公孙静道："请，请随我来。"

他第一个走向客栈，朱大少慢慢地跟在身后，仿佛又开始在喘气。

黑衣人还是寸步不离地跟着他，现在，白马张三总算已明白他眼睛里，为什么会有那种奇特的嘲弄之色了。

他嘲笑的并不是别人，是他自己。

因为只有自己明白，他在保护着的人，根本就不需要他来保护。

03

苗烧天走在最后，手里紧紧地抓着那对金环，手背上青筋凸起。

他本已不该来的，却非来不可。

那批货就像是有种奇怪的吸力，将他的脚步一步步吸了过去。

不到最后关头，他绝不肯放弃任何机会的。

石阶本来向上，但这时却忽然向下沉落，露出了条阴暗的地道。

地道的入口，石像般站着两个人，以后每隔十几步，都有这么样两个人站着，脸色阴沉得就像是墙上的青石一样。

石墙上刻着一条张牙舞爪的青龙。

青龙会据说有三百六十五处秘密的分坛，这地方无疑就是其中之一。

地道的尽头处，还有道很粗的铁栅。

公孙静从贴身的腰带里，拿出一大串锁匙，用其中三根，打开了门上的三道锁，防守在铁栅后的两个人才将这道门拉开。

但这门却还不是最后的一道门。

公孙静面带着微笑，道："我知道有很多人都能到得了这里，这里的守卫并不是很难对付的人，但无论谁到了这里，再想往前走，就很难了。"

朱大少道："为什么？"

公孙静道："从这里开始，到前面的那扇门之间，一共有十三道机关埋伏，我可以保证，世上能闯过这十三道埋伏的人，绝不会超过七个。"

朱大少叹了口气，道："幸好我绝不会是这七个人其中之一。"

公孙静笑得更温和有礼，道："你为什么不试试？"

朱大少道："以后我说不定会来试试的，但现在还不行。"

公孙静道："为什么？"

朱大少道："因为我现在活得还很有趣。"

从铁栅到石门其实并不远，但听过公孙静说的话之后，这段路就好像立刻远了十倍。

石门更沉重。

公孙静又用三把锁匙开了门，两尺厚的石门里，是一间九尺宽的石屋子；屋里阴森而寒冷，仿佛已到了古代帝王陵墓的中心，本来应该停放棺材的地方，现在却摆着个巨大的铁箱，打开这铁箱，当然至少还需要三把锁匙，但这三把锁匙还不是最后的三把，因为大铁箱中还有个小铁箱。

朱大少又叹了口气，道："就凭这种防守之严密，我们也该多出些价钱才是。"

公孙静微笑道："朱大少的确是个明白人。"

他捧出那小铁箱，打开。

他温和动人的微笑突然不见了，脸上的表情就好像嘴里被人塞入了个烂柿子。

铁箱竟是空的，里面只有一张纸，纸上只有九个字："谢谢你，你真是个好人。"

04

石室中阴森而寒冷，公孙静却已开始在流汗，黄豆般大的冷汗，一粒一粒从他苍白的脸上流下来。

朱大少看着他，目光温柔得就像是在看着自己的手时一样，柔声道："你一定知道的。"

公孙静道："知……知道什么？"

朱大少道："知道是谁在谢你。"

公孙静双拳紧握，突然转身冲了出去。

朱大少叹了口气，喃喃道："看来他的确是个好人，只可惜好人据说都活不长的……"

"假如世上真的只有七个人能闯过这十三道埋伏，是哪七个人呢？”

“其中至少有一个人是绝无疑问的，无论你怎么算，他都必定是这七个人其中之一。”

“这人是谁？”

“白玉京！”

第二章

天上白玉京

01

白玉京并不在天上，在马上。

他的马鞍已经很陈旧，他的靴子和剑鞘同样陈旧，但他的衣服却是崭新的。

剑鞘轻敲着马鞍，春风吹在他脸上。

他觉得很愉快，很舒服。

旧马鞍坐着舒服，旧靴子穿着舒服，旧剑鞘绝不会损伤他的剑锋，新衣服也总是令他觉得精神抖擞，活力充沛。

但最令他愉快的，却还不是这些，而是那双眼睛。

前面一辆大车里，有双很迷人的眼睛，总是在偷偷地瞟着他。

他已不是第一次看到这双眼睛。

他记得第一次看见这双眼睛，是在一个小镇上的客栈里。

他走进客栈，她刚走出去。

她撞上了他。

她的笑容中充满了羞涩和歉意，脸红得就像是雨天的晚霞。

他却希望再撞见她一次，因为她实在是个很迷人的美女，他却并不是个道貌岸然的君子。

第二次看见她，是在一家饭馆里。

他喝到第三杯酒的时候，她就进来了，看见他，她垂下头嫣然一笑。

笑容中还是充满了羞涩和歉意。

这次他也笑了。

因为他知道，他若撞到别的人，就绝不会一笑再笑的。

他也知道自己并不是个很讨厌的男人，对这点他一向很有信心。

所以他虽然先走，却并没有急着赶路。

现在她的马车果然已赶上了他，却不知是有意？还是无意？

有意也好，无意岂非更有趣？

他本是个浪子，本就喜欢流浪。在路上，他曾结识过各式各样的人。

那其中有叱咤关外的红胡子，也有驰骋在大沙漠上的铁骑兵，有瞪眼杀人的绿林好汉，也有意气风发的江湖侠少。

在流浪中，他的马鞍和剑鞘渐渐陈旧，胡子也渐渐粗硬。

但他的生活，却永远是新鲜而生动的。

他从来预料不到在下一段旅途中，会发生什么样的事？会遇到些什么样的人？

风渐冷。

缠绵的春雨，忽然从春云中洒了下来，打湿了他的春衫。

前面的马车停下来了。

他走过去，就发现车帘已卷起，那双迷人的眼睛正在凝视着他。

迷人的眼睛，羞涩的笑容，瓜子脸上不施脂粉，一身衣裳却艳如紫霞。

她指了指纤秀的两脚，又指了指他身上刚被打湿的衣衫。

她的纤手如春葱。

他指了指自己，又指了指车厢。

她点点头，嫣然一笑，车门已开了。

车厢里舒服而干燥，车垫上的缎子光滑得就像是她的皮肤一样。

他下了马，跨入了车厢。

雨下得缠绵而绵密，而且下得正是时候。

在春天里，老天仿佛总是喜欢安排一些奇妙的事，让一些奇妙的人在偶然中相聚。

既没有丝毫勉强，也没有多余的言语。

他仿佛天生就应该认得这个人，仿佛天生就应该坐在这车厢里。

寂寞的旅途，寂寞的人，有谁能说他们不应该相遇相聚。

他正想用衣袖擦干脸上的雨水，她却递给他一块软红丝巾。

他凝视着她，她却垂下头去弄衣角。

“谢谢你。”

“不客气。”

“我姓白，叫白玉京。”

她盈盈一笑，道：“天上白玉京，五楼十二城。仙人抚我顶，结发受长生。”

他也笑了，道：“你也喜欢李白？”

她将衣角缠在纤纤的手指上，曼声低吟：

我昔东海上，劳山餐紫霞。
亲见安期公，食枣大如瓜。
中年谒汉主，不惬还归家。
朱颜谢春晖，白发见生涯。

所期就金液，飞步登云车。

愿随夫子天坛上，闲与仙人扫落花。

念到劳山那一句，她声音似乎停了停。

白玉京道："劳姑娘？"

她的头垂得更低，轻轻道："袁紫霞。"

突然间，马蹄急响，三匹马从马车旁飞驰而过，三双锐利的眼睛，同时向车厢里盯了一眼。

马已驰过，最后一个人突然自鞍上腾空掠起，倒纵两丈，却落在白玉京的马鞍上，脚尖一点，已将挂在鞍上的剑勾起。

驰过去的三匹马突又折回。

这人一翻身，已轻飘飘地落在自己马鞍上。

三匹马眨眼间就没入蒙蒙雨丝中，看不见了。

袁紫霞美丽的眼睛睁得更大，失声道："他们偷走了你的剑！"

白玉京笑笑。

袁紫霞道："你看着别人拿走了你的东西，你也不管？"

白玉京又笑笑。

袁紫霞咬着嘴唇，道："据说江湖中有些人，将自己的剑看得就像是生命一样。"

白玉京道："我不是那种人。"

袁紫霞轻轻叹息了一声，仿佛觉得有些失望。

有几个少女崇拜的不是英雄呢？

你若为了一把剑去跟别人拼命，她们也许会认为你是个英雄，也许会为你流泪。

但你若眼看别人拿走你的剑，她们就一定会觉得很失望。

白玉京看着她，忽又笑了笑，道："江湖中的事，你知道得很多？”

袁紫霞道：“不多，可是——我喜欢听，也喜欢看。”

白玉京道：“所以你才一个人出来？”

袁紫霞点点头，又去弄她的衣角。

白玉京道：“幸好你看得还不多，看多了你一定会失望的。”

袁紫霞道：“为什么？”

白玉京道：“看到的事，永远不会像你听到的那么美。”

袁紫霞还想再问，却又忍住。

就在这时，忽然又有一阵蹄声急响，刚才飞驰而过的三匹马，又转了回来。

最先一匹马上的骑士，忽然倒扯顺风旗，一伸手，又将那柄剑轻轻地挂在马鞍上。

三个人同时在鞍上抱拳欠身，然后才又消失在细雨中。

袁紫霞睁大了眼睛，觉得又是惊奇，又是兴奋，道：“他们又将你的剑送回来了！”

白玉京笑笑。

袁紫霞眨着眼，道：“你早就知道他们会将剑送回来的？”

白玉京又笑笑。

袁紫霞看着他，眼睛里发着光，道：“他们好像很怕你。”

白玉京道：“怕我？”

袁紫霞道：“你……你这把剑一定曾杀过很多人！”

她似已兴奋得连声音都在颤抖。

白玉京道：“你看我像杀过人的样子？”

袁紫霞道：“不像。”

她只有承认。

白玉京道：“我自己看也不像。”

袁紫霞道："可是，他们为什么要怕你？"

白玉京道："也许他们怕的是你，不是我。"

袁紫霞笑了，道："怕我？为什么要怕我？"

白玉京叹道："一笑倾人城，再笑倾人国。再锋利的剑，只怕也比不上美人的一笑。"

袁紫霞笑得更甜了，眨着眼，道："你……你怕不怕我？"

她眼睛里仿佛带着种不可抗拒的力量，仿佛是在向他挑战。

白玉京叹了口气，道："我想不怕都不行。"

袁紫霞咬着嘴唇，道："你怕我，是不是就应该听我的话？"

白玉京道："当然。"

袁紫霞嫣然道："好，那么我就要你先陪我喝杯酒去。"

白玉京很吃惊，道："你也能喝酒？"

袁紫霞道："你看我像不像能喝酒的样子？"

白玉京又叹了口气，道："像。"

他只有承认。

因为他知道，杀人和喝酒这种事，你看样子是一定看不出来的。

02

白玉京醉过，时常醉，但却从来没有醉成这样子。

他很小的时候，就听过一个教训。

江湖中最难惹的有三种人——乞丐、和尚、女人。

你若想日子过得太平些，就最好莫要去惹他们，无论是想打架，还是想喝酒，都最好莫要去惹他们。

只可惜他已渐渐将这教训忘了，这也许只因为他根本不想过太平日子。

所以他现在才会头疼如裂。

他只记得最后连输了三拳，连喝了三大碗酒，喝得很快，很威风。

然后他的脑子就好像忽然变成空的，若不是有冰冰冷冷的东西，忽然放在他脸上，他也许直到现在还不会醒。

这样冰冰凉凉的东西，是小方的手。

没有任何人的手会这么冷，只不过小方已没有右手。

他的右手是个铁钩子。

小方叫方龙香，其实已不小。

但听到这名字，若认为他是个女人，就更错了，世上也许很少有比他更男人的男人。

他眼角虽已有了皱纹，但眼睛却还是雪亮，总是能看到一些你看不到的事。

现在他正在看着白玉京。

白玉京也看见他了，立刻用两只手抱着头，道："老天，是你，你怎么来了？"

方龙香道："就因为你祖上积了德，所以我才会来了。"

他用铁钩轻轻地摩擦着白玉京的脖子，淡淡地道："来的若是'双钩'韦昌，你脑袋只恐怕早已搬了家。"

白玉京叹了口气，喃喃道："那岂非倒也落得个痛快。"

方龙香也叹了口气，道："你这人的毛病，就是一直都太痛快了。"

白玉京道："你怎么知道我在这里？"

方龙香道："你知不知道你怎么会在这里？"

这里是间很干净的屋子，窗外有一棵大白果树的树荫。

白玉京四面看了看，苦笑道："难道是你送我到这里来的？"

方龙香道："你以为是谁？"

白玉京道："那位袁姑娘呢？"

方龙香道："也已经跟你醉得差不多了。"

白玉京笑了，道："我早就知道，她一定喝不过我。"

方龙香道："她喝不过你？你为什么会比她先醉？"

白玉京道："我喝得本就比她多。"

方龙香道："哦。"

白玉京道："喝酒的时候，我当然不好意思跟她太较量，划拳的时候，也不好意思太认真，你说我怎么会不比她喝得多？"

方龙香道："你若跟她打起来，当然也不好意思太认真了。"

白玉京道："当然。"

方龙香叹道："老江湖说的话果然是绝不会错的。"

白玉京道："什么话？"

方龙香道："就因为男人大多都有你这种毛病，所以老江湖才懂得，打架跟喝酒，都千万不能找上女人。"

白玉京道："你是老江湖？"

方龙香道："但我却还是想不到，你现在的派头居然有这么大了。"

白玉京道："什么派头？"

方龙香道："你一个人在屋里睡觉，外面至少有十个人在替你站岗。"

白玉京怔了怔，道："十个什么样的人？"

方龙香道："当然是来头都不小的人。"

白玉京道："究竟是谁？"

方龙香道："只要你还能站得起来，就可以看见他们了。"

这里是小楼上最右面的一间房，后窗下是条很窄的街道。

一个头上戴着顶破毡帽，身上还穿着破棉袍的驼子，正坐在春日的阳光下打瞌睡。

方龙香用铁钩挑起了窗户，道："你看不看得出这驼子是什么人？"

白玉京道："我只看得出他是个驼子。"

方龙香道："但他若摘下头上那顶破毡帽，你就知道他是谁了。"

白玉京道："为什么？"

方龙香道："因他头发的颜色跟别人不同。"

白玉京皱了皱眉，道："河东赤发？"

方龙香点点头，道："看他的样子，不是赤发九怪中的老三，就是老七。"

白玉京不再问下去，他一向信任小方的眼睛。

方龙香道："你再看看巷口树下的那个人。"

巷口也有棵大白果树，树下有个推着车子卖藕粉的小贩，正将一壶滚水冲在碗中的藕粉里。

壶很大，很重，他用一只手提着，却好像并不十分费力。

白玉京道："这人的腕力倒还不错。"

方龙香道："当然不错，否则他怎么能使得了二十七斤重的大刀？"

白玉京道："二十七斤重的刀？莫非是从太行山来的？"

方龙香道："这次你总算说对了，他的刀就藏在车子里。"

白玉京道："那个吃藕粉的人呢？"

一个人捧着刚冲好的藕粉，蹲在树下面，慢慢地啜着，眼睛却好像正在往这楼上瞟。

方龙香道："车子里有两把刀。"

白玉京道："两个人都是赵一刀的兄弟？"

方龙香道："他就是赵一刀。"

他拍了拍白玉京的肩，道："你能叫赵一刀在外面替你守夜，派头是不是不能算小了？"

白玉京笑了笑，道："我派头本来就不小。"

一个戴着红缨帽，穿着青皂衣的捕快，正从巷子的另一头慢慢地走过来，走到树下，居然也买了碗藕粉吃。

白玉京笑道："看来赵一刀真应该改行卖藕粉才对，他的生意倒真不错，而且绝没有风险。"

方龙香道："没有风险？"

白玉京道："有？"

方龙香道："这戴着红缨帽的，说不定随时都会给他一刀。"

白玉京笑道："官差什么时候也会在小巷子里杀人了？"

方龙香笑道："他戴的虽然是红缨帽，却是骑着匹白马来的。"

白玉京道："白马张三？"

方龙香道："你想不到？"

白玉京道："白马张三一向独来独往，怎么会跟他们走上一条路的？"

方龙香道："我也正想问你。"

白玉京道："会不会是凑巧？"

方龙香道："天下哪有这么巧的事？"

白玉京倒了盏冷茶，一口喝下去，才又问道："除了他们四个外，这地方还来了些什么人？"

方龙香道："你想不想出去看看？"

白玉京道："这些人很好看？"

方龙香道："好看，一个比一个好看，一个比一个精彩。"

白玉京道："你怎么知道这些人来了？"

方龙香笑了笑道："你莫忘了这地方是谁的地盘。"

白玉京也笑了笑，道："我若忘了，怎么会在这里喝得烂醉如泥？"

方龙香瞪眼道："原来你早就算计好了，要我来做你的保镖的。"

白玉京笑道："保镖的是你，付账的也是你，我既已到了这里，什么事就全归你一手包办。"

方龙香道："你管什么呢？"

白玉京道："我只管大吃大喝，吃得你叫救命时为止。"

方龙香叹了口气，苦笑道："看来这个人倒很少会走错地方的。"

前面的窗口下，是个不大不小的院子。

院子里一棚紫藤花下，养着缸金鱼。

一个年轻的胖子，正背负着双手，在看金鱼，一个又瘦又高的黑衣人，影子般贴在他身后。

一个白发苍苍的老太婆，扶着个十三四岁的小男孩，蹒跚地穿过院子。

三个青衣劲装的彪形大汉，一排站在西厢房前，正目光灼灼地盯着大门，仿佛在等着什么人从门外进来。

白玉京道："这三个人我昨天见过。"

方龙香道："在哪里？"

白玉京道："路上。"

方龙香道："他们找过你？"

白玉京道："只不过借了我的剑去看了看。"

方龙香道："然后呢？"

白玉京淡淡道："然后当然就送回来了，就算青龙老大借了我的剑去，也一样会送回来的。"

方龙香皱皱眉，道："你知道他们是青龙会的人？"

白玉京道："若不是青龙会里的，别人只怕还没那么大的胆子。"

方龙香用眼角瞟着他，摇着头叹道："你以为你自己是什么人？"

白玉京道："是白玉京。"

方龙香眨了眨眼睛，道："白玉京又是个什么人？"

白玉京笑道："是个死不了的人。"

突听"叮"的一声响，那金鱼缸也不知被什么打碎，缸里的水飞溅而出，眼见水花就要溅得那胖子一身。

谁知他百把斤重的身子，忽然就轻飘飘飞了起来，用一根手指勾住了花棚，整个人吊在上面，居然轻得就像是个纸人。

那黑衣人的裤子反而被打湿了。

白玉京道："想不到这小胖子轻身功夫倒还不弱。"

方龙香道："你看不出他是谁？"

白玉京道："看他的身法，好像是峨嵋一路的，但近三十年来，峨嵋门下已全剩了尼姑，而且终年吃素，怎么会突然多了个这样的小胖子。"

方龙香道："你难道忘了峨嵋的掌门大师，未出家前是哪一家的人？"

白玉京道："苏州朱家。"

方龙香道："对了，这小胖子就是朱家的大少爷，也就是素因大师的亲侄儿。"

白玉京道："他那保镖呢？"

方龙香道："不知道，看他的武功，最多也只不过是江湖中的三流角色。"

白玉京道："他自己明明有第一流的武功，为什么要请个三流角色的保镖？"

方龙香道："因为他高兴。"

缸里的金鱼随着水流出来，在地上跳个不停。

那黑衣人却还是站在水里，动也不动，一双深凹的眼睛里，却带着七分忧郁，三分悲痛。

方龙香忽然长长叹息了一声，道："这人倒是个可怜人。"

白玉京道："你同情他？"

方龙香道："一个人若不是被逼得没法子，谁愿意做这种事？何况，看他用的兵刃，在江湖中本来也该小有名气，但现在……"

他忽然改变话题，道："你看不看得出是谁打破水缸的？"

白玉京道："司马光。"

方龙香瞪了他一眼，冷冷道："滑稽，简直滑稽得要命。"

白玉京笑了，道："打破水缸的人若不是司马光，就是躲在东边第三间屋里的人。"

朱大少已从花棚上落下，正好对着那间屋子冷笑。

那个白发苍苍的老太婆，却捧着个脸盆走出来，仿佛想将地上的金鱼捡到盆里，一不小心，脚下一个踉跄，脸盆里的水又泼了一地。

白玉京道："这位老太太又是谁？"

方龙香道："是个老太太。"

白玉京道："老太太怎么也会到这里来了？"

方龙香道："这里本来就是个客栈，任谁都能来。"

白玉京道："她总不是为我来的吧？"

方龙香道："你还不够老。"

白玉京道："青龙、快刀、赤发、白马，这些人难道就是为我来的？"

方龙香道："你看呢？"

白玉京道："我看不出。"

方龙香道："你没有得罪他们？"

白玉京道："没有。"

方龙香道："也没有抢他们的财路？"

白玉京道："我难道是强盗？"

方龙香道："就算不是，也差不多了。"

白玉京忽然笑了笑，淡淡道："他们若真是为我而来的，为什么还不来找我？"

方龙香道："也许是因为他们怕你，也许因为他们还在等人。"

白玉京道："等什么人？"

方龙香道："青龙会有三百六十五处分坛，无论哪一坛的堂主，都不是好对付的。"

白玉京又笑了笑，淡淡道："我好像也不是很好对付的。"

方龙香道："可是她呢？"

白玉京道："她？"

方龙香道："你那位女醉侠。"

白玉京道："她怎么样？"

方龙香道："她既然是跟你来的，你难道还能不管她？别人既知道她是跟你来的，难道还会轻易放过她？"

白玉京皱了皱眉，不说话了。

方龙香叹道："你明明是在天上的，为什么偏偏放着好日子不过，要到这里来受罪？"

白玉京冷笑道："我还没有受罪。"

方龙香笑道："就算现在还没有受，只怕也快了。"

他的话刚说完，就听到隔壁有人在用力敲打着墙壁。

白玉京道："她在隔壁？"

方龙香点点头，拍了拍他的肩，道："现在你只怕就要受罪了。"

白玉京道："受什么罪？"

方龙香道："有时候受罪就是享福，享福也就是受罪，究竟是享福还是受罪，恐怕也只有你自己才知道。"

袁紫霞枕着一头乱发，脸色苍白得就像是刚生过一场大病。

门是虚掩着的，也不知是她刚才将门闩拔开的，还是根本没有闩门。

她手里还提着只鞋子，粉墙上还留着鞋印。

白玉京悄悄地走进来，看着她。

他忽然发现一个喝醉了的女人，在第二天早上看来，反而有种说不出的魅力。

他的心在跳。

一个喝醉了的男人，第二天早上若看见女人，反而特别容易心跳。

袁紫霞也在看着他，轻轻地咬着嘴唇，道："人家的头已经疼得快裂开，你还在笑。"

白玉京道："我没有笑。"

袁紫霞道："你脸上虽然没有笑，可是你的心里却在笑。"

白玉京笑了，道："你能看到我心里去？"

袁紫霞道："嗯。"

她这声音仿佛是从鼻子里发出来的。

女人从鼻子发出来的声音，通常都比从嘴里说出来的迷人得多。

白玉京忍不住道：“你可看得出我心里在想什么？”

袁紫霞道：“嗯。”

白玉京道：“你说。”

袁紫霞道：“我不能说。”

白玉京道：“为什么？”

袁紫霞道：“因为……因为……”她的脸突然红了，拉起被单盖住了脸，才吃吃地笑着道，“因为你心里想的不是好事。”

白玉京的心跳得更厉害。

他心里的确没有在想什么好事。

一个喝醉了的男人，在第二天早上，总是会变得软弱些，总是禁不起诱惑的。

喝醉了的女人呢？

白玉京几乎已忍不住要走过去了。

袁紫霞的眼睛，正藏在被里偷偷地看他，好像也希望他走过去。

他并不是君子，但想到外面那些替他“站岗”的人，他的心就沉了下去。

袁紫霞脸上带着红霞，咬着嘴唇道：“我看见你昨天晚上拼命想灌醉我的样子，就知道你原来不是个好人。”

白玉京叹了口气，苦笑道：“我想灌醉你？”

袁紫霞道：“你不想？你为什么要用大碗跟我喝酒？你几时看见过女人用大碗喝酒的？”

白玉京说不出话来了。

女人若要跟你讲歪理的时候，你就算有话说，也是闭着嘴的好。

这道理他也明白。

只可惜袁紫霞还是不肯放过他，紧跟着又道：“现在我的头疼得要命，你怎么赔我？”

白玉京苦笑道：“你说。”

袁紫霞道：“你……你至少应该先把我的头疼治好。”

突听一人道：“那容易得很，你只要一刀砍下她的头就好了。”

声音是从门外的走廊上传来的。

这句话还没有说完，白玉京已蹿出了门。

小楼上的走廊很窄，白果树的叶子正在风中摇曳。

没有人，连个人影都看不见，方龙香刚才就已溜之大吉了。

他不喜欢夹在别人中间做萝卜干。

说话的人是谁呢？

院子里又平静下来。

地上的金鱼已不知被谁收走，朱大少和他的保镖想必已回到屋里。

只剩下青龙会的那条大汉，还站在那里盯着大门，却也不知道是在等谁？

白玉京只好回去。

袁紫霞已坐了起来，脸色又发白，道：“外面是什么人？”

白玉京道：“没有人。”

袁紫霞瞪大了眼睛，道：“没有人？那么是谁在说话？”

白玉京苦笑，他只能苦笑。

袁紫霞眼睛充满了恐惧，道：“他……他叫你砍下我的头来，你会不会？”

白玉京叹了口气，他只有叹气。

袁紫霞忽然从床上跳起来，扑到他怀里，颤声道：“我怕得很，这地方好像有点奇怪，你千万不能把我一个人甩在这里。”

她一双手紧紧勾着他的脖子，衣袖已滑下，手臂光滑如玉。

她身上只穿着件很单薄的衣裳，她的胸膛温暖而坚挺。

白玉京既不是木头，也不是圣人。

袁紫霞道："我要你留在屋里陪着我，你……你为什么不关起门？"

她温软香甜的嘴唇就在他耳边。

就在这时，院子里突又传来一阵哭声，哭得好伤心。

是谁在哭？哭得真要命。

袁紫霞的手松开了，无论谁听到这种哭声，心都会沉下去的。

她赤着足站在地上，眼睛里又充满惊惧，看来就像是个突然发现自己迷了路的孩子。

哭声也像是孩子发出来的。

白玉京走到窗口，就看见一口棺材，那白发苍苍的老太婆，和那十三四岁的小男孩，正伏在棺材上痛哭，已哭得声嘶力竭。

棺材也不知是谁抬起来的，就摆在刚才放鱼缸的地方。

这地方来的活人已够多了，想不到现在居然又来了个死人。

白玉京叹了口气，喃喃道："至少这死人总不会是为我来的吧……"

03

袁紫霞闩上了门，搬了张椅子，坐在窗口，院子里有两个刚请来的和尚，正在念经。

从小楼看下去，和尚的光头显得很可笑，但他们的诵经声却是庄严而哀痛的，再加上单调的木鱼声，老太婆和孩子的哭声，更使人听了觉得心里有种说不出的悲伤和空虚。

袁紫霞叹了口气，仰头看了看天色。

她也不知道自己是什么时候起来，但现在却似已将近黄昏。

天色阴暝，仿佛又有雨意。

青龙会的那三条大汉，也全都搬了张椅子，坐在廊下，看着，等着，脸上的表情也已显得有些焦急不耐。

白玉京和方龙香正从她面前走了过去，慢慢地走出了门。

他们并没有看见别人，但却感觉到有很多双眼睛都在后面盯着他们。

但等到他们一回头，这些人的目光立刻就全都避开了。

袁紫霞当然是例外。

她眼睛里带着种无法描述的情意，就像是千万根柔丝，缠住了白玉京的脚跟。

第三章

杀人金环

01

门外风景如画。

暗褐色的道路，从这里开始蜿蜒伸展，穿过翠绿的树林，沿着湛蓝的湖水，伸展向闹市。

远山在阴暝的天色中看来，仿佛在雾中，显得更美丽神秘。

这里距离市镇并不远，但这一泓湖水，一带绿林，却似已将红尘隔绝在远山外。

白玉京长长地呼吸着，空气潮湿而甜润，他忍不住叹了口气，道："我喜欢这地方。"

方龙香道："有很多人都喜欢这地方。"

白玉京道："有活人，也有死人。"

方龙香道："这里通常都不欢迎死人的。"

白玉京道："今天为什么例外？"

方龙香道："无论谁只要是住进了这里的客人，客人无论要做什么，都不能反对的。"

白玉京道："若要杀人呢？"

方龙香笑了笑，道："那就得看是谁要杀人，杀的是谁了。"

白玉京冷冷地道："这倒真是标准生意人说的话。"

方龙香道："我本来就是个生意人。"

白玉京往前面走了几步，又走了回来，道："我看他们好像并没有不让我走的意思，我走出来，也没有人想拦住我。"

方龙香道："嗯。"

白玉京又道："也许，他们并不是为了我而来的。"

方龙香道："也许。"

白玉京忽然拍了拍他的肩，笑道："这次算你运气。"

方龙香道："什么运气？"

白玉京道："这次你不必怕被我吃穷，明天我一早就走。"

方龙香道："今天晚上你……"

白玉京道："今天晚上我还想喝你柜子里藏着的女儿红。"

方龙香的脸色忽然变得有些忧郁，遥视着阴暝的远山，缓缓道："今天晚上一定很长。"

白玉京道："哦。"

方龙香道："这么长的一个晚上，已足够发生很多事了。"

白玉京道："哦。"

方龙香道："也已足够杀死很多人。"

白玉京道："哦。"

方龙香忽然转过头，凝视着他，道："你是不是一定要等那个人来了才肯走？"

白玉京道："那个人是谁？"

方龙香道："青龙会也在等的人。"

白玉京微笑着，眼睛里却带着种很奇特的表情，过了很久，才缓缓道："老实说，我的确已渐渐觉得这个人很有趣了。"

方龙香道："但你连他是个什么样的人都还不知道。"

白玉京道："就因为不知道，所以才更觉得有趣。"

方龙香道："只要是有趣的事，你就一定要去做？"

白玉京道："通常都是的。"

方龙香道："有没有人使你改变过主意？"

白玉京道："没有。"

方龙香叹了口气，道："好，我去拿酒，带你的女醉侠下来喝吧。"

白玉京道："我还要去换套新衣服。"

方龙香道："现在？"

白玉京道："喝好酒的时候，我总喜欢穿新衣服。"

方龙香目光闪动，道："杀人的时候你是不是也喜欢换上套新衣服？"

白玉京笑了笑，淡淡道："那就得看我要杀的是谁了。"

袁紫霞坐在床上，抱着棉被，道："我们为什么不把酒拿上来，就在这屋里喝？"

白玉京微笑道："喝酒有喝酒的地方，地方若不对，好酒也会变淡的。"

袁紫霞道："这地方有什么不对？"

白玉京道："这是睡觉的地方。"

袁紫霞道："可是……楼下一定有很多人，我又没新衣服换，怎么下楼？"

白玉京道："我就是你的新衣服。"

袁紫霞道："你？"

白玉京道："跟我在一起，你用不着穿新衣服，别人也一样会看你。"

袁紫霞笑了，嫣然道："你是不是一向都觉得自己很了不起？"

白玉京道："通常都是的。"

袁紫霞道："你有没有脸红过？"

白玉京道："没有。"

他忽然转身，道："我在楼下等你。"

袁紫霞道："为什么？"

白玉京道："因为我现在已经脸红了，我脸红的时候，一向不愿被人看见的。"

袁紫霞打开随身带着的箱子，拿出套衣服。

衣服虽不是全新的，但却艳丽如彩霞。她喜欢色彩鲜艳的衣服，喜欢色彩鲜艳的人。

白玉京好像就是这种人。

他骄傲、任性，有时冲动得像是个孩子，有时却又深沉得像是条狐狸。

她知道这种男人不是好对付的，女人想要俘虏他，实在不容易。

可是她决心要试一试。

02

这里吃饭的地方并不大，但却很精致。

桌子是红木的，还镶着白云石，墙上挂着适当的书画，架上摆着刚开的花，让人一走进来，就会觉得自己能在这种地方吃饭是种荣幸。所以价钱就算比别的地方贵，也没有人在乎了。

青龙会的三个人，占据了靠门最近的一张桌子，眼睛还是在盯着门。

他们显然还在等人。

朱大少的桌子靠近窗户，他已经开始大吃大喝，那黑衣人却还是影子般站在他身后。

“这位客官不用饭？”

“他可以等我吃完了再吃。”

让人走在前面，等人吃完了再吃，这就是某种人自己选择的命运。

法事已做完了，那两个和尚居然也在这里吃饭，灯光照着他们的头，亮得就像是葫芦。

他们好像刚刮了头。

风中隐隐还可以听到那位老太太的哭声，究竟是谁死了？她为什么哭得如此伤心？

打破金鱼缸的人还没有露面？他为什么一直躲在屋子里不敢见人？

茶不错，酒也是好酒。

白玉京换上件宝蓝色的新衣服，喝了几杯酒，似已将所有不愉快的事全都忘了。

方龙香却显得有些没精打采的样子，酒喝得很少，菜也吃得不多。

袁紫霞嫣然道：“你吃起东西来，怎么比小姑娘还秀气？”

方龙香苦笑道：“因为我是自己吃自己的，总难免有些心疼。”

白玉京道：“我不心疼。”

他忽然招手叫了个伙计过来，道：“替我送几样最好的酒菜到后面巷子里去，送给一个戴红缨帽的官差，和一个卖藕粉的。”

方龙香冷冷道："还有个戴毡帽的呢？"

白玉京道："据说他们自己随时随地都可以找得到东西吃。譬如蜈蚣、壁虎、小蛇。"

袁紫霞脸色忽然苍白，像是已忍不住要呕吐。

屋子里每个人好像都在偷偷地看着她，甚至连那两个和尚都不例外。

他们的嘴吃素，眼睛并不吃素。

突听蹄声急响，健马长嘶，就停在门外。

青龙会的三个人立刻霍然飞身而起，脸上露出了喜色。

他们等的人终于来了。

方龙香看了白玉京一眼，举起酒杯，道："我敬你一杯。"

白玉京道："为什么忽然敬我？"

方龙香叹了口气，道："我只怕再不敬你以后就没机会了。"

白玉京笑了笑，道："你不妨先看看来的是谁，再敬我也不迟。"

用不着他说，每个人的眼睛都在盯着门口。

健马长嘶不绝，已有个人匆匆赶了进来。

一个青衣劲装的壮汉，满头大汗，大步而入。

青龙会的三个人看见他，面上却又露出失望之色，有两个人已坐了下来。

来的显然并不是他们等的人。

只见一个人迎了上去，皱眉道："为什么……"

别人能听见的只有这三个字，他的声音忽然变得低如耳语。

刚进来的那个人声音更低，只说了几句话，就又匆匆而去。

青龙会的三个人对望了一眼，又坐下开始喝酒，脸上的焦躁不安之色却已看不见了。

他们等的人虽然没有来，却显然已有了消息。

是什么消息？

朱大少皱起了眉，别人的焦躁不安，现在似已到了他脸上。

两个和尚同时站起，合十道：“贫僧的账，请记在郭老太太账上。”

出家人专吃四方，当然是一毛不拔的。

但也不知为了什么，白玉京总觉得这两个和尚看着不像是出家人。

他眼睛带着深思的表情，看着他们走出去，忽然笑道：“听说你天生有双比狐狸还厉害的眼睛，我想考考你。”

方龙香道：“考什么？”

白玉京道：“两件事。”

方龙香叹了口气，道：“考吧。”

白玉京道：“你看刚才那两个和尚，身上少了样什么？”

袁紫霞正觉得奇怪，这两个和尚五官俱全，又不是残废，怎么会少了样东西？

方龙香却连想都没有想，就已脱口道：“戒疤。”

袁紫霞忍不住叹道：“你的眼睛果然厉害，他们头上好像真的没有戒疤。”

白玉京道：“连一个都没有。”

袁紫霞道：“他们……他们难道不是真的和尚？”

白玉京笑了笑，道：“真就是假，假就是真，真真假假，何必认真？”

袁紫霞抿嘴一笑，道：“你几时也变成和尚？怎么打起机锋来了？”

方龙香道："他不但跟和尚一样会打机锋，而且也会白吃。"

他不让白玉京开口，又道："你已考过了一样，还有一样呢？"

白玉京压低声音，道："你知不知道青龙会的人究竟在等谁？"

方龙香摇摇头。

白玉京道："他们在等卫天鹰！"

方龙香立刻皱起了眉，道："卫天鹰？'魔刀'卫天鹰？"

白玉京点点头。

方龙香动容道："这人岂非已经被仇家逼到东瀛扶桑去了？"

白玉京道："扶桑不是地狱，去了还可以再回来的。"

方龙香眉皱得更紧，道："据说这人不但刀法可怕，而且还学会了扶桑的'忍术'，他既已入了青龙会，想必就是传说中的'青龙十二煞'其中之一。"

白玉京淡淡道："想必是的。"

袁紫霞瞪着眼，道："什么叫忍术？"

白玉京道："忍术就是种专门教你怎么去偷偷摸摸害人的武功，你最好还是不要听的好。"

袁紫霞道："可是我想听。"

白玉京道："想听我也不能说。"

袁紫霞道："为什么？"

白玉京道："因为我也不懂。"

其实他当然并不是真的不懂。

忍术传自久米仙人，到了德川幕府时，又经当代的名人"猿飞佐助"和"雾隐才藏"发扬光大，而雄霸扶桑武林。

这种武功传说虽神秘，其实也不过是轻功、易容、气功、潜水——这些武功的变形而已。比较特别的是他们能利用天上地下的各种禽兽器物，来躲避敌人的追踪，其中又分为七派。

伊贺、甲贺、芥川、根来、那黑、武田、秋叶。

甲贺善于用猫，伊贺善于用鼠。

这些事白玉京虽然懂，却懒得说，因为说起来实在太麻烦了。

你若想跟女人解释一件很麻烦的事，那么不是太有耐性，就是太笨。

方龙香沉思着，忽又问道："你怎么知道他们等的是卫天鹰？"

白玉京道："刚才他们自己说的。"

方龙香道："他们说的话你能听见？"

白玉京道："听不见，却看得见。"

袁紫霞又不懂了，忍不住问道："说话也能看见？怎么看？"

白玉京道："看他们的嘴唇。"

袁紫霞叹了口气，道："你真是个可怕的人，好像什么事都瞒不过你。"

白玉京道："你怕我？"

袁紫霞道："嗯。"

白玉京道："你怕我，是不是就应该听我的话？"

袁紫霞笑了，这句话正是她问过白玉京的，她轻轻笑着道："你真不是个好人。"

朱大少已大摇大摆地走了。

"你在这里吃，吃完了立刻就回去。"

黑衣人匆匆扒了碗饭，就真的要匆匆赶回去。

白玉京忽然道："朋友等一等！"

黑衣人停下脚步，却没有回头。

白玉京笑道："这里的酒不错，为何不过来共饮三杯？"

黑衣人终于慢慢地转过身，脸上虽然还是全无表情，但目中的悲哀之色却更深沉。

他的双拳已握紧，一字字道："我也很想喝酒，只可惜我家里还有八个人要吃饭。"

这虽然是很简单的一句话，但其中却带着种说不出的沉痛之意。

白玉京道："你怕朱大少叫你走？"

黑衣人的回答更简单："我怕。"

白玉京道："你不想做别的事？"

黑衣人道："我只会武功。我本来也是在江湖中混的，但现在……"

他垂下头，黯然道："我虽已老了，但却还不想死，也不能死。"

白玉京道："所以你才跟着朱大少？"

黑衣人道："是的。"

白玉京道："你跟着他，并不是为了保护他，而是为了要他保护你！"

他说的话就和他的目光同样尖锐。

黑衣人仿佛突然被人迎面掴了一掌，踉跄后退，转身冲了出去。

袁紫霞咬着嘴唇，道："你……你为什么一定要这样伤人的心？"

白玉京目中也露出了哀痛之色，过了很久，才长长叹息了一声，道："因为我本就不是个好人……"

没有人能听清他说的这句话，因为就在这时静夜中忽然发出一声惨呼。

一种令人血液凝结的惨呼。

呼声好像是从大门外传来的，方龙香一个箭步蹿出，铁钩急挥，"砰"地，击碎了窗户。

大门上的灯光，冷清清照着空旷的院落，棺材已被抬进屋里。

院子里本来没有人，但这时却忽然有个人疯狂般自大门外奔入。

一个和尚。

冷清清的灯光，照在他没有戒疤的光头上。

没有戒疤，却有血！

血还在不停地往外流，流过他的额角，流过他的眼睛，流入他眼角的皱纹，在夜色灯光下看来，这张脸真是说不出的诡秘可怖。

他冲入院子，看到了窗口的方龙香，踉跄奔过来，指着大门外，像是想说什么。

他眼睛里充满了惊惧悲愤之色，嘴角不停地抽动，又像是有只看不见的手，用力扯住了他的嘴角。

方龙香一掠出窗，沉声道："是谁？谁下的毒手？"

这和尚喉咙里咯咯地响，嘶声道："青……青……青……"

方龙香道："青什么？"

这和尚第二个字还未说出，四肢突然一阵痉挛，跳起半尺，扑地倒下。

方龙香皱着眉，喃喃道："青什么？……青龙？"

他慢慢地转过头，青龙会的三个人一排站在檐下，神色看来也很吃惊。

鲜血慢慢地从头顶流下，渐渐凝固，露出了一点金光闪动。

方龙香立刻蹲下去，将他的头摆到灯光照来的一边。

他立刻看到了一枚金环。

直径七寸的金环，竟已完全嵌在头壳里，只留一点边。

方龙香终于明白这和尚刚才为何那么疯狂，那么恐惧。

一枚直径七寸的金环，无论嵌入任何人的头壳里，这人都立刻会变得疯狂的。

白玉京皱着眉，道："赤发帮的金环？"

方龙香点点头，站起来，眼睛盯着对面的第三个门，喃喃自语："他为什么要杀这和尚？"

"你为什么不问他去？"

说话的人是朱大少。

他显然也被惨呼声惊动，匆匆赶出，正背负着双手，站在灯下。

那黑衣人又影子般贴在他身后。

方龙香看着他，淡淡道："万金堂是几时和赤发帮结下深仇的？"

朱大少道："深仇？谁说万金堂跟他们那些红头发的怪物有仇？"

方龙香道："金鱼缸是怎么破的？"

朱大少笑了笑，道："也许他们跟金鱼有仇……你为什么不问他去？"

方龙香道："你想要我去问他？"

朱大少道："随便你。"

方龙香冷笑着，突然走过去。

第三个门一直是关着的，但却不知在什么时候亮起了灯光。

方龙香没有敲门，门就开了。

一个人站在门口，耳上的两枚金环在风中"叮叮"地响，眼睛里仿佛有火焰在燃烧着。

方龙香看着他耳上的金环，道："苗峒主？"

苗烧天沉着脸，道："方老板果然好眼力。"

方龙香道："刚才……"

苗烧天道："刚才我在吃饭，我吃饭的时候从不杀人的。"

桌上果然摆着个金盘，盘子里还有半条褪了皮的蛇。

苗烧天的嘴角仿佛还留着血迹。

方龙香忽然觉得胃部一阵收缩，就好像被条毒蛇缠住。

苗烧天用眼角瞟着院子里的朱大少，冷冷道："莫忘记只要是有金子的人，就可以打金环，只要有手的人，就可以用金环杀人。”

方龙香点点头，他已不能开口。

他生怕会呕吐。

隔壁的屋子里，又有那老太太凄惨的哭声隐隐传了出来。

苗烧天“砰”地关上门，又去继续享受他那顿丰富的晚餐。

青龙会的三个人已退了回去。

袁紫霞紧紧拉住白玉京的手，好像生怕他会忽然溜走。

和尚的尸体已僵硬。

方龙香皱着眉走过来，道：“是谁杀了他？为什么要杀他？”

白玉京道：“因为他是个假和尚。”

方龙香道：“假和尚？……为什么有人要杀假和尚？”

没有人能回答这句话。

方龙香叹了口气，苦笑道：“若是我算得不错，外面一定还有个死和尚。”

白玉京道：“死的假和尚？”

03

袁紫霞紧紧拉住白玉京的手，走上小楼。

她的手冰凉。

白玉京道：“你冷？”

袁紫霞道：“不是冷，是怕，这地方忽然怎会来了这么多可怕的人？”

白玉京笑了笑，道：“也许他们都是为了你而来的。”

袁紫霞脸色更苍白，道：“为了我？”

白玉京道："愈可怕的人，愈喜欢好看的女人。"

袁紫霞笑了，展颜道："你呢？你岂非也是个很可怕的人？"

白玉京道："我……"

他忽然发现袁紫霞的房门是开着的，他记得他们下楼时曾经关上门，而且还留着一盏灯。

现在灯犹未熄，屋里却已乱得好像刚有七八个顽童在这里打过架一样。

袁紫霞随手带的箱子，也被翻得乱七八糟。一些女人不该让男人看到的东西，散落一地。

袁紫霞又羞，又急，又害怕，失声道："有……有贼。"

白玉京的手推开隔壁的窗子，他的屋里更乱。

袁紫霞不让他再看，已拉着他奔入自己的屋里，先将一些最不能让男人看的东西藏在被里，连耳根都红了。

白玉京道："有没有什么东西不见？"

袁紫霞红着脸，道："我……我根本就没什么东西好让贼偷的。"

白玉京冷笑道："来的也许不是贼。"

袁紫霞道："不是贼为什么要闯进别人屋里来乱翻东西？"

白玉京道："看来他们果然是来找我的。"

袁紫霞道："找你？谁？为什么要找你？"

白玉京没有回答，走过去推开后窗。

阴沉沉的小巷子里，已没有人。

要饭的、卖藕粉的、戴红缨帽的官差，已全部不知到哪里去了。

白玉京道："我出去看看。"

他刚转身，袁紫霞已冲过来拉住他的手，道："你……你千万不能走，我……我……我死也不敢一个人留在这屋子里。"

白玉京叹了口气，道："可是我……"

袁紫霞道："求求你，求求你，现在我真的怕得要命。"

她的脸苍白如纸，丰满坚实的胸膛起伏不停。

白玉京看着她，目光渐渐柔和，道："现在你真的怕得要命？"

袁紫霞道："嗯。"

白玉京道："刚才呢？"

袁紫霞垂下头，道："刚才……刚才我还有点假装的。"

白玉京道："为什么要假装？"

袁紫霞道："因为我……"

她苍白的脸又红了，忽然用力捶他的胸，道："你为什么一定要逼着人家说出来？你真不是好人。"

白玉京道："我既然不是好人，你还敢让我留在屋子里？"

袁紫霞的脸更红，道："我……我可以把床让给你睡，我睡在地上。"

白玉京道："我怎么忍心让你睡在地上。"

袁紫霞咬着嘴唇，道："没关系，只要你肯留下来，什么都没关系。"

白玉京道："还是你睡床。"

袁紫霞道："不……"

04

袁紫霞睡在床上。

白玉京也睡在床上。

他们都脱了鞋子躺在床上——只脱了鞋子，其余的衣服却还穿得整整齐齐的。

两个人都睁大了眼睛，看着屋顶。

过了很久，袁紫霞才轻轻叹息了一声，道："我真没有想到你是个这样的人。"

白玉京道："我也没有想到。"

袁紫霞道："你……是不是怕有人闯进来？"

白玉京道："不完全是。"

袁紫霞道："不完全是？"

白玉京道："我虽然不是君子，却也不是乘人之危的小人。"他伸出手，轻抚着她的手，柔声道，"也许就因为我喜欢你，所以才不愿意乘你害怕的时候欺负你，何况，这种情况本就是我造成的。"

袁紫霞瞪着眼道："你难道故意叫那些人来吓我？"

白玉京苦笑道："那倒不是，但他们却的确是来找我的。"

袁紫霞道："为什么来找你？"

白玉京道："因为我身上有样东西，是他们很想要的东西。"

袁紫霞眼波流动，道："你会不会认为我也是为了想要你那样东西，才来找你的？"

白玉京道："我从来没有这么想过。"

袁紫霞道："假如我也是呢？"

白玉京道："那么我就给你。"

袁紫霞道："把那样东西给我？"

白玉京道："嗯。"

袁紫霞道："那样东西既然如此珍贵，你为什么随随便便就肯给我呢？"

白玉京道："无论什么东西，只要你开口，我立刻就给你。"

袁紫霞道："真的？"

白玉京道："我现在就给你。"

他真的已伸手到怀里。

袁紫霞却忽然翻过身，紧紧地抱住了他。

她全身都充满了感情，柔声道："我什么都不要，我只要你陪着我……"

她声音哽咽，眼泪忽然流了下来。

白玉京道："你在哭？"

袁紫霞点点头，道："因为我太高兴了。"

她在白玉京脸上，擦干了她自己脸上的眼泪，道："可是我也有些话要先告诉你。"

白玉京道："你说，我听。"

袁紫霞道："我是从家里偷偷跑出来的，因为我母亲要逼我嫁给个有钱的老头子。"

这是个很平凡，也很俗的故事。

可是在这一类的故事里，却不知包含着多少人的辛酸眼泪。

只要这世上还有贪财的母亲，好色的老头子，这一类的故事就永远都会继续发生。

袁紫霞道："我跑出来的时候，身上只带了一点点首饰，现在却已经快全卖光了。"

白玉京在听着。

袁紫霞道："我自己又没有赚钱的本事，所以……所以就想找个男人。"

女人在活不下去的时候，通常都一定会想去找个男人。

这种事也是永远不会改变的。

袁紫霞道："我找到你的时候，并不是因为我喜欢你，只不过因为我觉得你好像很能干，一定可以养得活我。"

白玉京在笑，苦笑。

袁紫霞轻轻叹息了一声，道："可是现在不同了。"

白玉京道："有什么不同？"

他的声音还是有点发苦。

袁紫霞柔声道："现在我才知道，我永远再也不会找到比你更好的男人。我能找到你，实在是我的运气，我……我实在太高兴。"

她的泪又流下，紧拥着他，道："只要你肯要我，我什么都给你，一辈子不离开你……"

白玉京情不自禁，也紧紧地抱住了她，柔声道："我要你，我怎么会不要你。"

袁紫霞破涕为笑，道："你肯带我走？"

白玉京道："从今后，无论我到哪里，都一定带你去。"

袁紫霞道："真的？"

她不让白玉京开口，又掩住他的嘴，道："我知道你是真的，我只求你不要再去跟那些人怄气，我们可以不理他们，可以偷偷地走。"

白玉京轻吻着她脸上的泪痕，道："我答应你，我绝不再去跟他们怄气。"

袁紫霞道："我们现在就走？"

白玉京叹道："现在他们只怕还不肯就这样让我们走，只要等到明天早上，我一定有法子带你走的，以后谁也不会再来麻烦我们。"

袁紫霞嫣然一笑，目光中充满了喜悦，也充满了对未来幸福的憧憬。

她终于已得到她所要的。

美丽的女人，岂非总是常常能得到她们所要的东西。

第四章

长夜未尽

01

长夜未尽。

刚刚有星升起，又落了下去。大地寂静，静得甚至可以听见湖水流动的声音。

大门上的灯笼，轻轻地在微风中摇曳，灯光也更暗了。

袁紫霞蜷伏在白玉京怀里，已渐渐睡着。

她实在太疲倦，疲倦得就像是一只迷失了方向的鸽子，现在终于找到了她可以安全栖息之处。

也许她本来不想睡的，但眼帘却渐渐沉重，温柔而甜蜜的黑暗终于将她拥抱。

白玉京看着她，看着她挺直的鼻子，长长的睫毛，他的手正轻抚着她的腰。

然后他的手突然停下，停在她的睡穴上。

他没有用力，只轻轻一按，却已足够让她甜睡至黎明了。

于是他悄悄地下了床，提起了他的靴子，悄悄地走了出去。

他怎么能放心留下她一个人在屋里呢，难道他不怕那些人来伤害她？

他不怕。因为他已决心要先去找那些人，他决心要将这件事在黎明前解决。

那时他就可以带着她走了。

他答应过她的。

他不是鸽，是鹰，但他也已飞得太疲倦，也想找个可以让他安全栖息之处。

灯光冷清清地照着院子里的一棚紫藤花，花也在风中摇曳。

白玉京穿上靴子，靴子陈旧而舒服。

他心里也觉得很舒服，因为他知道他已作了最困难的决定，他今后一生都将从此改变。

奇怪的是，一个人生命中最重大的改变，却往往是在一刹那间决定的。

这是不是因为这种情感太强烈，所以才来得如此快？

——爱情本就是突发的，只有友情才会因累积而深厚。

方龙香住的地方，就在小楼后。

白玉京刚走过去，就发现方龙香已推开门，站在门口看着他。

他看来完全清醒，显然根本没有睡过。

白玉京道："你屋里有女人？"

方龙香道："今天的日子不好，所以这地方连女人都忽然缺货。"

白玉京道："你为什么不娶个老婆，也免得在这种时候睡不着。"

方龙香道："我还没有疯。"

白玉京道："我却疯了。"

方龙香道："每个男人都难免偶尔发一两次疯的，只要能及时清醒就好。"

白玉京笑了笑，只笑了笑。

他知道自己现在的感情，绝不是小方这种人能了解的。

方龙香也笑了笑，道："但我倒没想到你这么够朋友，今天晚上居然还有空来找我。"

白玉京道："我不是来找你的，我要你去找人。"

方龙香道："找谁？"

白玉京道："你知不知道那戴红缨帽的官差，和那卖藕粉的到哪里去了？"

方龙香皱了皱眉，道："他们没有去找你，你反倒要找他们？"

白玉京道："你难道不懂得先发制人？"

方龙香想了想，道："也许我可以找得到他们。"

白玉京道："好，你去找他们来，我在吃饭的餐厅等。"

方龙香看着他，有些犹疑，又有些怀疑，忍不住问道："你究竟想干什么？"

白玉京道："只不过想送点东西给他们。"

方龙香道："什么东西？"

白玉京道："他们要什么，我就给什么。"

方龙香叹了口气，道："好吧，我去找，只希望你不要在那里杀人，也不要被人杀，免得我以后吃不下饭去。"

02

朱大少似也睡着。

突然间，窗子“砰”地被震开，一个人站在窗口，在一瞬间，这人已到了他床前，手里的剑鞘已抵住了他的咽喉。

“跟我走。”

朱大少只有跟着走。

他从未想到世上竟有这么快的身手。他走出门时，那黑衣人又影子般跟在了他身后——不是为了保护他，是为了要他保护。

他走出门，就发现苗烧天和青龙会的那三个人已站在院子里，脸色也并不比他好看多少。

灯已燃起，十盏灯。

灯光虽明亮，但每个人的脸色却还是全都难看得很。

白玉京却是例外，他脸上甚至还带着微笑。

只可惜没有人去看他的脸，每个人眼睛都盯在他的剑上。

陈旧的剑鞘，缠在剑柄上的缎子也同样陈旧，已看不出本来是什么颜色。

“这把剑一定杀过很多的人。”

在这陈旧剑鞘中的剑，一定锋利得可怕，因为这本就是江湖中最可怕的一把剑。

长生剑！

他只有杀人，从没有人能杀死他。

朱大少忽然懊悔，不该得罪苗烧天，否则他们两人若是联手，说不定还有希望，但现在……

现在他忽然看到白马张三和赵一刀走了进来，这两人无疑也是江湖中的一流高手。

朱大少眼睛里立刻又充满希望——

每个人心里都知道现在自己只有两种选择。

杀人！或者被杀！

03

每个人都想错了。

白玉京也知道他们想错了，却故意沉下了脸，道：“各位为什么到这里来，原因我已知道。”

没有人答话，在这屋里的人，简直没有一个不是老江湖，老江湖不到必要时，是绝不肯开口说话的。

白玉京说完了这句话也停下来，目光盯着朱大少，然后一个个看过去，直看到赵一刀，才缓缓道：“我是谁，各位想必也知道。”

每个人都点了点头，眼睛不由自主又往那柄剑上瞟了过去。

白玉京忽然笑了笑，道：“各位想要的东西，就在我身上。”

每个人的眼睛都睁大了，眼睛里全都充满了渴望、企求、贪婪之色。

白马张三本来是个很英俊的男人，但现在却忽然变得说不出的可憎。

只有那黑衣人，脸上还是全无表情，因为他心里没有欲望。

他平常本是个很丑陋的人，但在这群人中，看来却忽然变得可爱起来。

白玉京道："各位若想要这样东西，也简单得很，只要各位答应我一件事。"

朱大少忍不住道："什么事？"

白玉京道："拿了这样东西，立刻就走，从此莫要再来找我。"

大家的眼睛睁得更大了，显得又惊奇，又是欢喜，谁也想不到他的条件竟是如此简单容易。

朱大少轻咳了两声，勉强笑道："我们和白公子本来没有过节，白公子的侠名，我们更早已久仰，只要能拿到这样东西，我们当然立刻就走，而且，我想以后也绝不会有人敢再来打扰白公子。"

赵一刀立刻点头表示同意；白马张三和青龙会的三个人当然也没什么话可说；苗烧天却有话说。

他忽然问道："却不知白公子打算将这样东西给谁？"

白玉京道："这就是你们自己的事了，你们最好自己先商量好。"

白马张三看了看苗烧天，又看了看朱大少，皱眉不语。

青龙会的三个人好像要站起来说话，但眼珠子一转，却又忍住。

朱大少忽然道："这东西本是从青龙会出来的。自然应该交还给青龙会的大哥们。"

赵一刀抚掌道："不错！有道理。"

青龙会的三个人也立刻站起来，向他们两人躬身一揖。

其中一人道："两位仗义执言，青龙会绝不敢忘记两位的好处。"

赵一刀欠身道："不敢。"

朱大少微笑道："万金堂日后要仰仗青龙会之处还有很多，三位大哥又何必客气！"

这人看来虽然像是个饱食终日的大少爷，但说话做事，却全都精明老练得很，正是个标准的生意人。

见风转舵，投机取巧，这些事他好像天生就懂得的。

苗烧天狠狠瞪了他一眼，心里虽然不服，却也无可奈何。

白玉京道："这件事是不是就如此决定了？"

苗烧天道："哼。"

白玉京长长吐出口气，从怀里拿出个织金的锦囊，随手抛在桌上，不管囊中装的是什么，这锦囊看来已经是价值不菲之物，但他却随手一抛，就好像抛垃圾一样。

大家眼睛盯着这锦囊，面面相觑，却没有一个人说得出话来。

白玉京冷冷道："东西已经在桌上，你们为什么还不拿去？"

青龙会的三个人对望了一眼，其中一人走过来，解开锦囊一抖，几十样彩色缤纷的东西，就立刻滚落在桌上，有波斯猫眼石、天竺的宝石、和阗的美玉、龙眼般大的明珠，连灯光都仿佛亮了起来。

白玉京懒洋洋地靠在椅子上，看着这堆珠宝，眼睛里露出种很奇怪的表情。

这些东西得来并不容易，他也曾花过代价。

他很了解它们所代表的是什么东西——好的酒、华丽的衣服、干净舒服的床、温柔美丽的女人，和男人们的羡慕尊敬。

这些都是一个像他这样的男人不可缺少的，但现在，他舍弃了它们，心里却丝毫没有后悔惋惜之意。

因为他知道他已得到更好的，因为世上所有的财富，也不能填满他心里的寂寞空虚。

而现在他却已不再寂寞空虚。

财富就摆在桌上，奇怪的是，到现在还没有人伸手来拿。

更奇怪的是，这些人眼睛里非但没有欢喜之色，反而显得很失望。

白玉京抬起头，看见他们，皱眉道："你们还想要什么？"

朱大少摇摇头，青龙会的三个人也摇了摇头。

朱大少忽然道："白公子在这里稍候，我们出去一趟，马上就回来。"

白玉京道："你们还要商量什么？"

朱大少勉强笑道："一点点小事。"

白玉京看着他，迟疑着，终于让他走了出去。

所有的人全都走了出去。

白玉京冷笑着，对这些人，他根本全无畏惧，也不怕他们有什么阴谋诡计。

他甘心付出这些，只因为他要好好地带着她走，不愿她再受到任何惊吓伤害。

他自己也不愿再流血了，为了这些东西流血，实在是件愚蠢可笑的事。

但他们现在还想要什么呢？他猜不透。

窗户是开着的，他可以看见他们的行动，没有一个人到小楼那边去，小楼上还是很平静。

她一定还睡得很甜。

睡着了时，她看来就像是个婴儿，那么纯真，那么甜蜜。

白玉京嘴角不禁露出一丝笑意——

忽然间，所有的人居然真的全回来了，每个人手里都提着个包袱，放在桌上，解开。

白马张三带来的是一斛明珠。

苗烧天是一叠金叶子。

青龙会是一箱白银票。

朱大少是一张崭新的银票。

这些东西无论对谁说来，都已是一笔财富，价值绝不在白玉京的珠宝之下。

白玉京忍不住问道："各位这是做什么？"

朱大少站起来，道："这是我们对白公子的一点敬意，请白公子收下。"

白玉京本是很难被感动的人，但现在却也不禁怔住。

他们不要他的珠宝，反而将财富送来给他。

这是为了什么？

他也想不通。

朱大少轻轻地咳嗽着，又道："我们……我们也想请白公子答应一件事。"

白玉京道："什么事？"

朱大少道："白公子在这里不知道还打算逗留多久？"

白玉京道："我天亮就要走的。"

朱大少展颜笑道："那就好极了。"

白玉京道："你说是什么事？"

朱大少笑道："白公子既要走了，还有什么别的事。"

白玉京又怔住。

他本来以为他们不让他走的，谁知他们却只希望他快走，而且还情愿送他一笔财富。

这又是为了什么？

他更想不通。

朱大少迟疑着，又道："只不过，不知道白公子是不是一个人走？"

白玉京忽然明白了。

原来他们要找的并不是他，而是袁紫霞，只不过因为顾忌他的长生剑，所以才一直都不敢下手。

他们不惜付出如此大的代价，也要得到她，对她究竟有什么目的？

她若真的只不过是个逃婚出走的女孩子，又怎么会引动这么多威震一方的武林高手？

难道她说的全是谎话？

难道她这么样说，只不过是为了要打动他，要他保护她？

是不是就因为这缘故，所以她才求他不要再理这些人，求他带着她悄悄地走？

白玉京的心沉了下去。

每个人都在看着他，等着他回答。

桌上的珠宝黄金，在灯下闪着令人炫目的光，但却没有人去看一眼。

他们所要的，价值当然更大。

那是什么呢？

是袁紫霞这个人，还是她身上带的东西？

朱大少看着他脸上的表情，试探着道："我们也已知道，白公子和那位袁姑娘，只不过是萍水相逢而已，白公子当然不会为了她而得罪朋友。"

白玉京冷冷道："你们不是我的朋友。"

朱大少赔笑道："我们也不敢高攀，只不过，像袁姑娘那样的女人，白公子以后一定还会遇见很多，又何必……"

白玉京打断了他的话，道："你们要的不是她这个人？"

朱大少笑了，道："当然不是。"

白玉京道："你们究竟要的是什么？"

朱大少目光闪动，道："白公子不知道？"

白玉京摇摇头。

朱大少脸上露出了诡谲的笑容，缓缓道："也许白公子还是不知道的好。"

他显然生怕白玉京也想来分他们一杯羹，所以还是不肯说出那样东西是什么。

那东西的价值，无疑比这里所有的黄金珠宝更大。

白玉京却更想不通了。

袁紫霞身上哪有什么珍贵之物？她整个房子岂非已全都被他们翻过。

朱大少道："依我看，这件事白公子根本就不必考虑，有了这么多金银珠宝，还怕找不着美如天仙的女人？"

白玉京慢慢地将自己的珠宝，一粒粒拾起来，放回锦囊里。

然后他就走了出去。

他连一句话都不再说，就走了出去。

每个人都在瞪着他，目中都带着怀恨之色，但却没有人出手。

因为他们还要等一个人，一个能对付长生剑的人。

他们对这个人有信心。

04

长夜犹未尽。

正是黎明前最黑暗的时候，但空气却是寒冷清新的。

白玉京抬起头，长长地呼吸——

他忽然发现小楼上的窗户里，被灯光映出了两条人影。

一个人的影子苗条纤秀，是袁紫霞，还有一个人呢？

两个人的影子距离仿佛很近。

他们是不是正在悄悄地商议着什么？

朱大少、赵一刀、苗烧天、白马张三和青龙会的三个全都在楼下。

楼上这个人是谁呢？

白玉京手里紧握着剑鞘，他的手比剑鞘更冷。

他实在不知道自己是不是应该上楼去。

第五章

僵　尸

01

长夜未尽。风中却似已带来黎明的消息，变得更清新，更冷。

白玉京静静地站在冷风里。

他希望风愈冷愈好，好让他清醒些。

从十三岁的时候，他就开始在江湖中流浪，到现在已十四年。

这十四年来，他一直都很清醒，所以他直到现在还活着。

无论谁若经历过他遭遇到的那些折磨、打击和危险，要想活着都不太容易。

“仙人抚我顶，结发受长生。”

他心里在冷笑。

江湖中对他的传说，他当然也听说过。只有他自己心里知道，他能活到现在，只不过因为他头脑一直都能保持冷静。

现在他更需要冷静。

窗上的人影，仿佛又靠近了些。

他尽量避免去猜这个人是谁，因为他不愿猜疑自己的朋友。

小方是他的朋友。

既然别的人都在楼下，楼上这人不是方龙香是谁？

小方无疑也是个很有吸引力的男人，也许比他更有力量保护她。

她就算投向小方的怀抱，也并不能算是很对不起他，因为他们之间本就没有任何约束。

“这样也许反倒好些，反倒没有烦恼。”

白玉京长长吐出口气，尽力使自己不要再去想这件事。

但也不知为什么，他心里却还是好像有根针在刺着，刺得很深。

他决心要走了，就这样悄悄地走了也好，世上本没有什么值得太认真的事。

他慢慢地转过身。

但就在这时，他忽然听到袁紫霞的一声惊呼。

呼声中充满惊惧之意，就像一个人看见毒蛇时发出的呼声一样。

白玉京的人已箭一般蹿上了小楼。“砰”地，撞入了窗户。

屋里当然有两个人。

袁紫霞脸上全无血色，甚至比看见毒蛇时还要惊慌恐惧。

她正在看着对面的一个人，这人的确比毒蛇可怕。

他长发披肩，身子僵硬，一张脸上血迹淋漓，看来就像是个僵尸。

这人不是小方。

在这一刹那，白玉京心里不禁掠过一丝歉疚之意，一个人实在不该怀疑朋友的。

但现在已没有时间来让他再想下去。

他的人刚撞进窗户，这僵尸已反手向他抽出了一鞭子。

鞭子如灵蛇，快而准。

这僵尸的武功竟然也是江湖中的绝顶高手。

白玉京身子凌空，既不能退，也无力再变招闪避，眼见长鞭已将卷上他的咽喉。

但世上还没有任何人的鞭子能卷住他咽喉。

他的手一抬，就在这间不容发的刹那间，用剑鞘缠住了长鞭，扯紧。

他另一只手已闪电般拔出了剑。

剑光是银色的，流动闪亮，亮得令人几乎张不开眼睛。

他脚尖在窗棂上一点，水银般的剑光已向这僵尸削了过去。

这僵尸长鞭撒手，凌空翻身。

猝然间，满天寒星，暴雨般向白玉京撒下。

白玉京剑光一卷，满天寒星忽然间就已全部没有了消息。

但这时僵尸却已“砰”地撞出了后面的窗户。

白玉京怎么能让他走？

他身形掠起，眼角却瞥见袁紫霞竟似已吓得晕了过去。

那些人就在楼下，他也不忍将她一个人留在这里。

是追？还是不追呢？

在这一瞬间，他实在很难下决定，幸好这时他已听见了小方的声音：“什么事？”

“我把她交给你……”

一句话未说完，他的人已如急箭般蹿出窗子。

谁知这个僵尸看来虽僵硬如木，身法却快如流星。

就在白玉京微一迟疑间，他已掠出了七八丈外，人影在屋脊上一闪。

白玉京追过去时，他的人已不见了。

远处忽然响起鸡啼。

难道他真的是僵尸，只要一听见鸡啼声，就会神秘地消失？

东方已露出淡青，视界已较开阔。

附近是空旷的田野，空旷的院子，那树林还远在三十丈外。

无论谁也不可能在这一瞬间，掠出三四十丈的，就连昔日轻功天下无双的楚香帅，也绝不可能有这种能力！

风更冷。

白玉京站在屋脊上，冷静地想了想，忽然跳了下去。

下面是一排四间厢房，第三间本是苗烧天住的地方，现在屋里静悄悄，连灯光都已熄灭。

第二间屋里，却还留着盏孤灯。

惨淡的灯光，将一个人的影子照在窗上，佝偻的身形，微驼的背，正是那白发苍苍的老太婆。

她显然还在为了自己亲人的死而悲伤，如此深夜，还不能入睡。

也许她并不完全是在哀悼别人的死，而是在为自己的生命悲伤。

一个人到了老年时，往往就会对死亡特别敏感恐惧。

白玉京站在窗外，静静地看着她，忍不住轻轻叹息了一声。

奇怪的是，人在悲伤时，有些感觉反而会变得特别敏锐。

屋子里立刻有人在问："谁？"

"我。"

"你是谁？"

白玉京还没有回答，门已开了。

这白发苍苍的老太婆，手扶着门，驼着背站在门口，用怀疑而敌视的目光打量着他，又问了一句："你是谁？来干什么？"

白玉京沉吟着，道："刚才好像有个人逃到这里来了，不知道有没有惊动你老人家？”

老太婆怒道：“人？三更半夜的哪有什么人，你是不是活见鬼了！”

白玉京知道她心情不好，火气难免大些，只好笑了笑，道：“也许是我看错了，抱歉。”

他居然什么都不再说了，抱了抱拳，就转过身，走下院子，长长地伸了个懒腰，仿佛觉得非常疲倦。

就在这时，他听到了“咕咚”一声。

那老太婆竟倒了下去，疲倦、悲哀，和苍老，就像是一包看不见的火药，忽然在她身体里爆炸，将她击倒。

白玉京一个箭步蹿过去，抱起了她。

她的脉搏还在跳动，还有呼吸，只不过都已很微弱。

白玉京松了口气，用两根手指捏住她鼻下人中，过了很久，她苍白的脸上才渐渐有了血色，脉搏也渐渐恢复正常。

但她的眼睛和嘴却都还是紧紧闭着，嘴角不停地流着口水。

白玉京轻声道：“老太太，你醒醒——”

老太婆忽然长长吐出口气，眼睛也睁开了一线，仿佛在看着白玉京，又仿佛什么都没有看到。

白玉京道：“你不要紧的，我扶你进去躺一躺就没事了。”

老太婆挣扎着，喘息着，道：“你走，我用不着你管。”

可是在这种情况下，白玉京又怎么能抛下她不管。

他用不着费力，就将她抱起来。

这也许还是他第一次抱着个超过三十岁的女人进房门。

棺材就停在屋里，一张方桌权充灵案，点着两支白烛，三根线香。

香烟缭绕，烛光暗淡，屋子里充满了阴森凄凉之意，那小男孩子躺在床上，也像是个死人般睡着了。

小孩子只要一睡着，就算天塌下来，也很难惊醒的。

白玉京迟疑着，还不知道该将这老太婆放在哪里。

忽然间，老太婆的人在他怀里一翻，两只鸟爪般的手已扼住了他的咽喉。

她出手不但快，而且有力。

白玉京呼吸立刻停止，一双眼珠子就像是要在眼睛中迸裂。

他的剑刚才已插入腰带，此刻就算还能抓住剑柄，也已没力气拔出来。

老太婆脸上露出狞笑，一张悲伤、疲倦、苍老的脸，忽然变得像是条恶狼。

她手指渐渐用力，狞笑着道："长生剑，你去死吧！……"

这句话还未说完，突然觉得有件冰冷的东西碰触到了自己的肋骨。

是柄剑。

再看白玉京的脸，非但没有扭曲变形，反而好像在微笑。

她忽然觉得自己扼住的，绝不像是一个人的脖子，却像是一条又滑又软的蛇。

然后又是一阵尖锥般的刺痛，使得她十根手指渐渐松开。

剑已在白玉京手上。

剑尖已刺到她的肋骨，渗出一滴鲜血，染上她刚换上的麻衣。

白玉京看着她，微笑道："你的戏演得实在不错，只可惜还是瞒不过我。"

老太婆目中充满惊惶恐惧，颤声道："你……你早已看出来了。"

白玉京笑道："真正的老太婆，醒得绝没有那么快，也绝没有这么重。"

剑光一闪，削去了她头上一片头发。

她苍苍的白发下，头发竟乌黑光亮如绸缎。

老太婆叹了口气，道："你怎么知道老太婆应该有多重？"

白玉京道："我就是知道。"

他当然知道，他抱过的女人也不知有多少，更少有人的经验能比他更丰富。

老太婆筋肉已松，骨头也轻了，他一抱起她，就知道她绝不会超过三十五岁。

三十五岁的女人，若是保养得好，胴体仍然是坚挺而有弹性的。

老太婆道："现在你想怎么样？"

白玉京道："这就得看你了。"

老太婆道："看我？"

白玉京道："看你是不是肯听话。"

老太婆道："我一向听话。"

她的眼睛忽然露出一种甜蜜迷人的笑意，用力在脸上搓了搓，就有层粉末细雨般掉了下来。

一张成熟、美丽、极有风韵的脸出现了。

白玉京叹了口气，道："你果然不是老太婆。"

这女人媚笑道："谁说我老？"

她的手还在解着衣纽，慢慢地拉开了身上的白麻衣服。

衣服里没有别的，只有一个丰满、坚挺、成熟而诱人的胴体，甚至连胸部都没有下坠。

白玉京看着她胸部时，她胸部上顶尖的两点就渐渐挺硬了起来。

她用自己的指尖轻抚着，一双眼睛渐渐变成了一条线，一根丝。

她轻咬着嘴唇，柔声道："现在你总该已看出，我是多么听话了。"

白玉京只有承认。

她媚笑道："我看得出你是个有经验的男子，现在为什么却像个孩子般站着？"

白玉京道："你难道要我就在这里？"

她笑得更媚更荡，道："这里为什么不行？老鬼已死了，小鬼也已睡得跟死人差不多，你只要关上房门……"

门是开着的，白玉京不由自主，去看了一眼，忽然间，床上死人般睡着的孩子鲤鱼打挺，一个翻身，十余点寒星暴射而出，这孩子的出手竟也又快又毒，更可怕的是，绝没有人能想到这么样一个孩子出手也会如此狠毒，何况白玉京面前是站着个赤裸裸的女人，世上还有什么能比一个赤裸着的美丽女人更能令男人变得软弱迷糊？

这暗器几乎已无疑必可致命。

但白玉京却似又早已算准这一着，剑光一圈，这些致命暗器又已全没了消息。

女人咬了咬牙，厉声道："好小子，老娘跟你拼了。"

那孩子身子跃起，竟从枕头下拔了两柄尖刀，已抛了柄给女人。

两柄尖刀立刻闪电般向白玉京劈下。

就在这时，棺材的盖子突然掀起，一根鞭子毒蛇般卷出，卷住了白玉京的腰。

这一鞭才是真正致命的。

白玉京的腰已被鞭子卷住，两柄尖刀闪电般向他刺了过来，他完全没有闪避的余地。他没有闪避，反而向尖刀上迎了过去，棺材里的人只觉得一股极大的力量将他一拉，已将他的人从棺材里拉出，这人正是刚才突然在曙色中消失了的僵尸。

他眼看着两柄刀已刺在白玉京身上，谁知突然又奇迹地跌下，

“当”地跌在地上。女人和孩子的手腕已多了一条血口。

白玉京的剑本身就像是奇迹，剑光一闪，削破了两人的手腕，再一闪，就削断了长鞭。

僵尸本来正用力收鞭，鞭子一断，他整个人就立刻失去重心，“砰”的一声撞在后面的窗户上。

孩子和女人的惊呼还没有出声，白玉京已反手一个肘拳，打中孩子的胃。他只觉眼前一阵黑暗，连痛苦都没有感觉到，就已晕了过去。那女人的脸已因惊惧而扭曲，转身想逃，她上身刚转过去，白玉京的剑柄已敲在她后脑上——她晕得比孩子还快。

僵尸背贴着窗户，看着白玉京，眼睛里也充满了恐惧之色，他几乎不相信自己现在看着的是一个人，人怎会有这么快的出手？

白玉京也在看着他，冷冷道：“这次你为什么不逃了？”

僵尸忽然长长叹了口气，道：“我本就没有得罪你，为什么要逃。”

白玉京道：“你的确没有得罪我，只不过想要我的命而已。”

僵尸道：“那也是你逼着我们的。”

白玉京道：“哦。”

僵尸道：“我想要的，只不过是那女人从我这里骗走的东西。”

白玉京皱了皱眉，道：“她骗走了你什么？”

僵尸道：“一张秘图。”

白玉京道：“秘图！什么秘图？藏宝的秘图？”

僵尸道：“不是。”

白玉京道：“不是？”

僵尸道：“这张图的本身就是宝藏，无论谁有了这张图，不但可以成为世上最富有的人，也可以成为世上最有权力的人。”

白玉京道：“为什么？”

僵尸道："你不必问我为什么，但只要你答应放过我，我就可以帮你找到这张图。"

白玉京道："哦。"

僵尸道："只有我知道，这张图一定在她身上。"

白玉京沉吟着，忽然笑了笑，道："既然一定在她身上，又何必要你帮我去找？"

僵尸道："因为她绝不会对你说实话的，她绝不会对任何人说实话的，可是我不但知道她的秘密，还知道……"

他的声音突然停顿、断绝，一只铁钩从窗外伸进来，一下子就钩住了他的咽喉，他没有再说一个字，眼睛已凸出，鲜血已从迸裂的眼角流下来。

然后他整个人就像是突然被抽干，突然萎缩，若不是亲眼看见的人，绝想不到这种情况有多么可怕。看见过的人，这一生就永远不会忘却。

白玉京只觉得自己的胃也在收缩，几乎已忍不住开始要呕吐。

他看着方龙香慢慢地走进来，用一块雪白的丝巾，擦着铁钩上的血。

白玉京沉着脸，道："你不该杀他的。"

方龙香笑了笑，道："你为什么不看看他的手？"

僵尸已倒下，两只手却还是握得很紧。

方龙香淡淡道："你以为他真的在跟你聊天，我若不杀了他，你现在只怕已变成了蜂窝。"

他用铁钩挑断了僵尸手上筋络，手松开，满把暗器散落了下来，一只手里，就握着四种形状不同的暗器。

方龙香道："我知道你的长生剑是暗器的克星，但我还是不放心。”

白玉京道：“为什么？”

方龙香道：“因为我也知道这人的暗器一向很少失手的。”

白玉京道：“他是谁？”

方龙香道：“长江以南，用暗器的第一高手公孙静。”

白玉京道：“青龙会的公孙静？”

方龙香道：“不错。”

白玉京叹了口气，道：“但你还是不该这么快就杀了他的！”

方龙香道：“为什么？”

白玉京道：“我还有很多话要问他。”

方龙香道：“你可以问我。”

他走过去，带着欣赏的眼光，看着地上的女人，叹息着道：“想不到公孙静不但懂得暗器，也很懂得选女人。”

白玉京道：“这是他的女人？”

方龙香道：“是他的老婆。”

白玉京道：“这小孩是他的儿子？”

方龙香又笑了，道：“小孩子？……你以为这真是个小孩。”

白玉京道：“不是？”

方龙香道：“这小孩子的年纪至少比你大十岁。”

他用脚踢这孩子的脸，脸上也有粉末落了下来。

这孩子的脸上竟已有了皱纹。

方龙香道：“这人叫毒钉子，是个天生的侏儒，也是公孙静的死党。”

白玉京忍不住叹了口气，苦笑道：“死人不是死人，孩子不是孩子，老太婆不是老太婆——这倒真妙得很。”

方龙香淡淡道：“只要再妙一点点，你就已经是个死人了。”

白玉京道："青龙会的势力遍布天下，他们既然是青龙会的人，行踪为什么要如此诡秘？"

方龙香道："因为最想要他们的命的，就是青龙会。"

白玉京道："为什么？"

方龙香道："因为公孙静做了件让青龙会丢人的事。"

白玉京道："什么事？"

方龙香道："一样关系很重大的东西，在他的手里被人骗走了，当然他知道青龙会的规矩。"

白玉京道："所以他才带着他的老婆和死党，易容改扮到这里，为的就是想追回那样东西？"

方龙香道："不错。"

白玉京道："这些事你怎么会知道的？"

方龙香笑了笑，道："你难道忘了我是干什么的？"

白玉京道："那样东西真的在袁紫霞身上？"

方龙香道："这你就该问她自己了。"

白玉京道："她的人呢？"

方龙香道："就在外面。"

白玉京立刻走出去，方龙香就让路给他出去，突然间，一把铁钩划破他手腕，长生剑"叮"地跌落在地，接着，一个比铁钩还硬的拳头，已打在他腰下京门穴上，他也倒了下去。

烛光在摇动，整个屋子都像是在不停地摇动着，白玉京还没有睁开眼睛，就已感觉到有个冰冷的铁钩在摩擦着他的咽喉。

他终于醒了，也许他永远不醒反倒好些，他实在不愿再看到方龙香的脸，那本是张非常英俊的脸，现在却似也变得说不出的丑陋。

这张脸正在微笑着，面对着他的脸，道："你想不到吧！"

白玉京道："我的确想不到，因为我一直认为你是我的朋友。"

他尽力使自己保持平静——既然已输了，为什么不输得漂亮些？

方龙香微笑道："谁说我不是你的朋友，我一直都是你的朋友。"

白玉京道："现在呢？"

方龙香道："现在就得看你了。"

白玉京道："看我是不是肯听话？"

方龙香道："一点也不错。"

白玉京道："我若不肯听话呢？"

方龙香忽然长长叹了口气，看着自己手上的铁钩，慢慢道："我是个残废，一个残废了的人，要在江湖上混，并不是件容易事，若没有硬的后台支持我，我就算死不了，也绝不会活得这么舒服。"

白玉京道："谁在支持你？"

方龙香道："你想不出？"

白玉京终于明白，苦笑道："原来你也是青龙会的人。"

方龙香道："青龙会的坛主。"

白玉京道："这地方也是青龙会的三百六十五处分坛之一？"

方龙香叹道："我知道你迟早总会完全明白的，你一向是个聪明人。"

白玉京只觉满嘴苦水，吐也吐不出。

方龙香道："三年前，我也跟你现在一样，躺在地上，也有人用刀在摩擦我咽喉。"

白玉京道："所以你非入青龙会不可？"

方龙香道："那人倒也没有一定要逼我入青龙会，他给了我两条路走。"

白玉京道："哪两条路？"

方龙香道："一条是进棺材的路，一条是进青龙会的路。"

白玉京道："你当然选了后面的一条。"

方龙香笑了笑道："我想很多人都会跟我同样选这条路的。"

白玉京道："不错，谁也不能说你选错了。"

方龙香道："我们既然一向是好朋友，我当然至少也得给你两条路走！"

白玉京道："谢谢你，你真是个好朋友。"

方龙香道："第一条路近得很，现在棺材就在你旁边。"

白玉京道："这口棺材太薄了，像我这样有名气的人，你至少也得给我口比较像样的棺材。"

方龙香道："那倒用不着，我可以保证你躺进去的时候，已分不出棺材是厚是薄了。"他手上的铁钩又开始在动，微笑着说，"但无论如何，睡在床上总比睡在棺材里舒服些，尤其是在床上还有个女人的时候。"

白玉京点点头，道："那倒一点都不假，只不过还得看床上睡的是个什么样的女人。"

方龙香道："哦！"

白玉京道："里边床上睡的若是条母猪，我则情愿睡在棺材里了。"

方龙香道："你当然不会认为那位袁姑娘是母猪。"

白玉京道："她的确不是，她是母狗。"

方龙香又笑了，道："凭良心讲，说她是母狗的人，你已不是第一个。"

白玉京道："第一个是公孙静？"

方龙香笑道："你又说对了，谁能想到像公孙静这样的老狐狸，也会栽在母狗手里呢？"

白玉京叹了口气道："凭良心讲，我倒真有点同情他。"

方龙香道："我也同情他。"

白玉京道："所以你杀了他。"

方龙香叹道："我若不杀他，他死得也许还要更惨十倍。"

白玉京道："哦。"

方龙香道："青龙会对付像他这样的人，至少有一百三十种法子，每一种都可以让他后悔自己为什么要生到这世上来。"

白玉京道："他究竟做了什么丢人的事？"

方龙香沉吟着，道："你听说过'孔雀翎'这三个字没有？"

白玉京动容道："孔雀山庄的孔雀翎？"

方龙香道："你果然听说过。"

白玉京叹道："江湖中没有听说过这三个字的人，也许比没有听过长生剑的还少。"

方龙香笑道："你倒真谦虚得很。"

白玉京也微笑着道："谦虚本就是我这人的美德之一。"

方龙香道："哦？你还有些什么美德？"

白玉京道："我不赌钱，不喝酒，不好色，我只有一种毛病。"

方龙香道："什么毛病？"

白玉京道："我说谎，只不过每天只说一次而已。"

方龙香道："今天你说过没有？"

白玉京道："还没有，所以我现在就要赶快说一次，免得以后没机会了。"

他笑了笑，又道："所以现在我无论说什么，你最好都不要相信。"

方龙香笑道："多谢你提醒，我一定不会相信的。"

白玉京道："我若说刚被你杀了的公孙静又复活了，你当然不相信。"

第六章

好亮的刀

方龙香道："当然！"

白玉京微笑道："我说他的老婆已醒了过来，正准备暗算你，你还是不信。"

方龙香道："还是不信。"

他嘴里虽然说不信，还是忍不住回过头去，他的手也跟着动了动，手上的铁钩，距离白玉京的咽喉也就远了些。

白玉京的肘、背、股，突然同时用力，向右翻出，弹起。

长生剑就落在公孙静的尸体上。

他的人一翻出去，手已握住了剑柄。

但就在这时，他刚提起的力气，突然又莫名其妙地消失。

他的人刚跃起三尺，又重重地跌了下去。

然后他就听到了方龙香得意而愉快的笑声，他的心也沉了下去。

因为他知道这已是他最后一次机会，现在机会已错过，就永远不会再来了。

地上冷而潮湿。

白玉京伏在地上，连动都不愿再动，但铁钩却又钩住了他的腰带，将他的身子翻过来。

方龙香正在看着他微笑，笑得就像是条正在看着它爪下老鼠的猫。

猫抓到一只老鼠时，通常都会给老鼠一两次机会逃走的，因为它知道这老鼠一定逃不了。

白玉京叹了口气，道："想不到你点穴的手法又进步了些，可喜可贺。"

方龙香道："其实你根本用不着骗我回头，我也会让你试一次的。"

白玉京道："哦？"

方龙香道："你以为你刚才真的骗过了我？"

白玉京道："若换了是我，也忍不住要回头去看看的。"

方龙香道："但我却不必。"

白玉京道："哦。"

方龙香笑得更愉快，道："因为我知道公孙静的老婆已死了。"

白玉京道："你……你刚才已经杀了她？"

方龙香道："我不喜欢让活人留在我背后，虽然现在女人缺货，我也只好忍痛牺牲了。"

白玉京叹道："我记得你以前好像是个很怜香惜玉的人。"

方龙香目中露出一丝怨毒之色，冷冷道："以前我也是个有两只手的人。"

白玉京道："自从你只剩下一只手后，就不再信任女人？"

方龙香道："只信任一种，死的。"他脸上忽又露出愉快的微笑，道，"现在我们是不是可以接着继续谈下去了。"

白玉京道："谈什么？孔雀翎？"

方龙香点点头，道："据说天下的暗器一共有三百六十几种，但自从世上有暗器以来，孔雀翎无疑是其中最成功、最可怕的一种。"

白玉京道："我承认。"

这一点几乎没有人会不承认。

据说这种暗器发出来时，美丽得就像孔雀开屏一样，不但美丽，而且辉煌灿烂，世上绝没有任何事能比拟。

但就在你被这种惊人的神灵感动得目眩神迷时，它已经要了你的命。

方龙香道："最可怕的是，除了孔雀山庄的嫡系子孙外，世上从没有任何人能知道这种暗器的秘密，更没有人知道它是如何打造的。"

白玉京道："的确没有。"

方龙香道："但现在却有了。"他眼睛里发着光，道，"公孙静被人骗去的那张秘图，就是打造孔雀翎的图形，和使用孔雀翎的方法。"

白玉京也不禁动容道："这张图怎么会落在他手上的呢？"

方龙香微笑道："青龙会若想得到一样东西，通常都有很多种法子的。"

白玉京道："难道是从孔雀山庄盗出来的？"

方龙香道："也许。"他不让白玉京再问，接着又道，"孔雀山庄就因为有这样暗器，所以才能雄踞江湖数十年，从没有任何人敢去打他们的主意，甚至连青龙会都不愿去惹这种麻烦。"

白玉京道："我知道青龙会一向对孔雀山庄很不满意。"

方龙香道："但别人若也能打造孔雀翎，孔雀山庄的威风还能剩下来的就不多了，这些年来，他们结下的仇怨却不少。"

白玉京沉思着，道："白马、赤发、快刀、万金堂，这些人好像都跟他们有很大的仇恨。"

方龙香道："所以他们才会不惜倾家荡产，来抢购这张秘图。何况，他们若能将孔雀翎打造成功，非但立刻可以报仇出气，而且很快就会将本钱收回来的。"

白玉京道："不错，江湖中肯不惜重价来买孔雀翎的人，一定还有很多。”

方龙香笑道：“也许比想买你的长生剑的人还多。”

白玉京道：“但青龙会为什么不自己打造这孔雀翎？为什么要卖给别人？”

方龙香道：“因为青龙会老大只对一样东西有兴趣。”

白玉京道：“黄金。”

方龙香道：“白银、珠宝也行。”他笑得很神秘，又道，“青龙会能得到这样东西，当然也花了本钱，青龙会开支可大得吓人，所以青龙老大才急着要将这东西脱手。”

白玉京也笑了笑，道：“而且这东西本就烫手得很，能早点甩出去，麻烦岂非就是别人的了。”

方龙香道：“对极了。”

白玉京道：“何况，江湖中拥有孔雀翎的人若是多了起来，死的人也就多了，你若用孔雀翎杀了他，他家人想也免不了要弄个孔雀翎来复仇。”

方龙香目中露出赞赏之意，道：“那想必是一定免不了的。”

白玉京道：“这种事若是一天天多了起来，江湖中就难免要一天比一天乱，江湖愈乱，青龙会浑水摸鱼的机会就愈多。”

他叹了口气，接着道：“你们的青龙会老大真是个天才，连我都不能不佩服。”

方龙香大笑，道：“想不到你居然是他的知己，我也佩服你。”

白玉京淡淡道：“我手里若有了这么样一件东西，至少是绝不会被人骗走的。”

方龙香道：“公孙静机智深沉，办事老练，本也是青龙会里的第一流好手，只可惜他也犯了个和你一样的毛病。”

白玉京道：“他也说谎？”

方龙香笑了一笑，道："他好色，比你还好色，更不幸的是，他也跟你一样，也是看上了那位袁姑娘。"他叹息了一声，道，"她实在是我见到的女人中，最懂得骗男人的。男人遇见她，不上吊只怕也要跳河。"

白玉京目中已露出痛苦之色，却还是微笑着道："幸好我现在已用不着上吊，也用不着跳河了，我有个好朋友照顾我。"

方龙香居然没有脸红，微笑着道："所以我说你运气一向不错。"他接着又道，"袁姑娘究竟是怎么样将这东西盗走的，现在我倒还是不大清楚，据我所猜想，她一定是趁着公孙静累极了的时候，将他的钥匙打成模子，另外做了一副，再买通了看守地道的人盗走的。"

白玉京道："你们想得很合理。"

方龙香道："她算准事发之后，公孙静一定也会赶快逃走，被她买通了的守卫，自己也脱不了罪，当然也不会将这件事泄露出来。"他接着道，"这位袁姑娘的确算得很精，只可惜还是忘了一件事。"

白玉京道："哦！"

方龙香道："她忘了青龙会若要人说话，只怕连死人都会开口的。"

白玉京道："是不是那守卫说出了她的行踪了。"

方龙香点点头，道："她买通了两个守卫，趁着换班的时候，混入秘道，用她自己复制的钥匙，盗走了孔雀图，再乘着换班时溜了出来。"

白玉京淡淡道："她为什么不将这两个守卫杀了灭口？"

方龙香道："因为她怕惊动别人，因为她武功不高明，何况那时她剩下的时间已不多。"他又笑了笑，接着道，"所以你若认为她的心还不够狠，你就错了。"

白玉京道："我看人总是常常看错的，否则我怎会交到你这样的好朋友。”

方龙香也不睬他，道：“青龙会耳目遍布天下，既然已知道她是这么样的一个人，当然就不会查不出她的行踪下落。”

白玉京道：“当然。”

方龙香道：“公孙静当然也不甘心，也想将这东西要回来，但青龙会处置叛徒的法子，他也一向清楚得很。”

白玉京道：“所以他才假装死人，躲在棺材里。”

方龙香冷笑道：“他以为这法子已经高明极了，安全极了，但他只怕永远也不会想到，他买棺材那家店，也是青龙会开的。”

白玉京叹了口气，道：“青龙会对自己兄弟照顾得倒真周到，你只要一进了青龙会，他就已将后事替你准备好了。”

方龙香淡淡道：“那至少总比死了被人抛去喂狗好。”

白玉京道：“那两个和尚呢？已经喂了狗？”

方龙香道：“那两人当然也是他的同党，临时扮成和尚混到这里来。”

白玉京道：“只可惜他们的头太光，衣服太新，而且眼睛太喜欢看大姑娘。”

方龙香道：“就因为他们的行迹被看破，所以毒针才会将他们杀了灭口，却想嫁祸在苗烧天身上。”

白玉京道：“去翻箱子的人是谁呢？是不是你？”

方龙香笑道：“这种事又何必我自己动手，别人把东西搜出来，岂非也一样是我的。”

白玉京点点头，道：“若不是你，就一定是张三或赵一刀，那时只有他们有机会。”

方龙香道：“我只可惜你送去的那些好菜好酒。”

白玉京道：“公孙静虽然沉得住气，但也怕夜长梦多，所以发现我们都在楼下时，就急着去找袁紫霞了。”

方龙香笑道：“我看着他上去的，他本来还想跟袁紫霞好好商量，谁知道这位小姐竟是软硬不吃，因为她知道只要一叫起来，你就会赶上去英雄救美的。”

白玉京苦笑道：“最好笑的是，我居然还将她交给了你，居然还要你去保护她。”

方龙香道：“受人之托，忠人之事，我一定会将她保护得很好的。”

白玉京道：“现在你总已大功告成了，你还要什么？”

方龙香道：“大功还没有告成，还差一点。”

白玉京道：“哪一点？”

方龙香道：“孔雀图还在别人手里。”

白玉京道：“在谁手里？”

方龙香道：“你。”

白玉京道：“在我手里？”

方龙香沉下脸道：“你不承认？”

白玉京叹了口气，喃喃道：“女人……唉，她自己明明叫我死也不要说出这秘密，谁知道她自己反而先说了出来。”

方龙香面上又露出得意的微笑，道：“我早已告诉过你，青龙会若要人说话，连死人都要开口，何况女人？”

白玉京叹道：“你若要女人保守秘密，只怕比要死人开口还困难些。”

方龙香悠然道：“我也告诉过你，你还有两条路可走，第二条路保证比第一条路愉快多了。”

白玉京道：“第二条路怎么走？”

方龙香道：“带着你的孔雀图入青龙会，公孙静那一坛就让给你做坛主。”

白玉京忽然笑了。方龙香道：“你笑什么？”

白玉京道：“我笑我自己。”

方龙香道：“笑你自己？为什么？”

白玉京道：“因为我几乎又要相信你的话了。”

方龙香道：“你不信。”

白玉京道：“其实你显然已知道孔雀图在我这里，既然有法子能要我开口，又何必说这种好听的话来骗我高兴？”

方龙香道：“因为你是个人才，青龙会需要各种人才。”

白玉京沉吟着，道：“但我还是不相信。”

方龙香道：“要怎么样你才相信？”

白玉京道：“你先放了我，我就将孔雀图交出来，绝不骗你。”

方龙香也笑了，道：“幸好你刚才提醒过我，否则几乎又要相信你的话了。”

白玉京叹道：“我也知道这交易是谈不成功的，但我也有件事要告诉你。”

方龙香道：“你说。”

白玉京道：“我若不想说话的时候，世上绝没有任何人能要我开口，我若不说出孔雀图在哪里，世上绝没有任何人找得到。”

方龙香目光闪动，微笑道：“这一日一夜里，你根本没有到别的地方去过，我最多将这地方每一寸都翻过来，还怕找不到？”

方龙香接着沉下了脸，道：“要找，自然要从你身上找起。”

白玉京道：“欢迎得很。”

方龙香盯着他，目光就像是正在追狐狸的猎狗。

白玉京一双眼睛却在东张西望，绝不去接触他的目光，仿佛生怕被他从自己眼睛里看出什么秘密来。

屋子里的东西很多，他一样样地看过去，从墙上挂着的画，看到桌上的白烛，看到棺材，从棺材看到地上的死人，他也没有去看自己的那柄剑，连一眼都没有看。

方龙香的眼睛突然亮了，忽然道："我若是你，我会将那孔雀图藏在什么地方呢？"

白玉京道："你不是我。"

方龙香笑道："不错，我不是你，我也没有你的长生剑。"

白玉京的脸色似乎变了，变得全无血色。方龙香已大笑着从他身上掠过，"叮"地，用铁钩抓起了地上的长生剑，剑光灿烂如银，剑柄上缠着的缎子却已变成紫黑色。

方龙香轻抚着剑脊，用眼角瞟着白玉京，喃喃道："好剑，果然是好剑，可惜剑柄做得太坏了些。"

白玉京勉强笑道："以后有机会，我一定会去换一个。"

方龙香忽然笑道："用不着，我现在就可以替你换。"

白玉京笑得更勉强，道："不必费神了，你的好意我心领了就是。"

方龙香道："大家既然是好朋友，又何必客气。"

他慢慢地倒转剑锋，"哧"地插入地上，剑柄犹在不停地摇曳。

他用两根手指一弹，听见了声音，道："咦，这里面怎么好像是空的。"

他用舌头舔了舔发干的嘴唇，连舌头都干得像是条咸鱼。

方龙香慢慢地点一点头，道："嗯，果然是空的——里面好像有卷纸。"

白玉京长长叹息了一声，闭上眼睛。方龙香大笑，用三根手指拍剑柄上的锷一转——剑柄果然是空的，一转就开了，但藏在剑柄的却不是一卷纸，是一篷针，牛芒般的毒针。

“叮”的一响，几十根牛芒般的毒针，已全部打在方龙香脸上，打在他眼睛里。

他以手掩面，狂吼着，扑到白玉京身上，仿佛还想跟白玉京拼命，可是他的人一跌，就已不会动了。

他身上的铁钩已钩入了自己的脸，将半边脸都扯了下来。

他虽然只有一只手，却是个两面人，就正像他现在的样子——一边脸苍白，一边脸血红。

地上冷而潮湿，但曙光却已从窗外淡淡地照了进来，长夜总算真已将过去。

白玉京躺在地上，甚至还可以感觉到方龙香脸上的血在流，血已浸透了他的衣裳，他心里忽然觉得一阵说不出的伤痛，无论如何，这人总曾经是他的朋友，假如还有选择的余地，他实在不愿这么做，可是他知道没有，他就算交出孔雀图，小方还是不会放过他的，何况他根本连看都没有看见过那见鬼的孔雀图。

小方当然绝不会放过他的，因为他们曾经是朋友。

你若出卖过你的朋友一次，以后就绝不会放过他，因为你已无颜再见他。

门窗都已关紧，闩上，远处的鸡啼声此起彼落，曙色已渐渐染白窗纸。

门外忽然响起了很多人的脚步声。

白玉京在心里叹息着：“终于来了。”他知道小方刚才的那些大吼，必定会将这地方所有的人全都引来的。

“方店主，你在哪里？”

“出了什么事？”

“你能断定刚才是方老板的声音？”

“绝不会错。”

“但这间房却是那老太婆住的。”

“我早就觉得那老太婆有点鬼鬼祟祟的样子。”

朱大少、苗烧天、赵一刀、白马张三和青龙会的三人，果然全都来了。

白玉京只希望他们能在外面多商议一阵子，等他以真气将穴道撞开后再进来，但这时窗口已发出一声轻呼，刚才小方用铁钩穿过的破洞里，已露出一个人的眼睛——满布血丝像火焰般燃烧着的眼睛。

白马张三道：“你看见了什么？”

苗烧天道：“死人，一屋子死人。”

这句话刚说完，门已“砰”地被撞开，青龙会的三个人当先冲进来，只看了一眼，立刻又退了回去。

这屋子里的情况实在太悲惨，太可怕。

又过了半晌，赵一刀和白马张三才慢慢地一步一步地走了进来，两个人同是轻呼一声。

白马张三道：“果然全都死了。”

赵一刀道：“方店主怎么会跟这老……”他忽然发现老太婆并不老，瞪大了眼睛，下面的话再也说不出来。

白马张三道：“这人又是谁？……公孙静？怎么会是公孙静？”

突听朱大少冷笑道：“各位难道未看出这里还有个活的？”

赵一刀道：“谁？”

朱大少道：“当然是位死不了的人。”

白玉京本来的确是想暂时装死的，但朱大少却已走到他面前，蹲下来，看着他，带着微笑道：“白公子睡着了么？”那个黑衣人当然还是影子般贴在他身后。

白马张三失声道：“白玉京也在这里，他果然还没有死！”

朱大少悠然道："莫忘记白公子是长生的。"

白马张三用眼角瞟着赵一刀，冷冷道："却不知他的头疼不疼？"

赵一刀道："想必是疼的。我试试。"

白玉京刚张开眼睛，就看到一柄雪亮的钢刀已向他咽喉砍了下来——

好亮的刀！

第七章

卫天鹰的阴影

01

好亮的刀!

冰冷的刀锋，一下子就已砍在白玉京咽喉上，他却连眼睛都没有眨一眨。

这一刀并没有砍下去，刀锋到了他咽喉上，就突然停顿。

赵一刀盯着他的眼睛，忽然笑着道:“白公子莫不知道这一刀砍在脖子上，头就会掉的。”

白玉京道:“我知道。”

赵一刀道:“可是你不怕。”

白玉京道:“我知道这一刀绝不会砍下来。”

赵一刀道:“哦!”

白玉京道:“因为我脖子上有样东西撑着。”

赵一刀道:“什么东西?”

白玉京道:“孔雀图。”

赵一刀动容道:“你已知道孔雀图?”

白马张三抢着道:“你知道孔雀图在哪里?”

白玉京却闭起了嘴。

赵一刀沉下了脸，道："你为什么不开口？"

朱大少淡淡道："我脖子上若有柄刀，也一样说不出话的。"

赵一刀哈哈一笑，"锵"地，刀已入鞘。

朱大少又蹲了下来，微笑道："我们刚才答应白公子的话，现在还是一样算数，只要白公子帮我们找到孔雀图，我们立刻就恭送白公子上路——带着终身享受不尽的黄金珠宝上路。"

白玉京笑了笑，道："果然还是万金堂的少东家讲理些。"

朱大少道："我是个生意人，当然懂得只有公道的交易，才能谈得成。"

白玉京道："这交易我们一定谈得成。"

朱大少道："我早就看出白公子是个明白人。"

白玉京道："孔雀图当然还在那位袁姑娘手里，只要你解开我穴道，我就带你去找她。"

白玉京这句话说出，心里已后悔。

他本不该让别人知道他穴道已被点住的，现在别人显然已看出，也未必能确定。

一个人心里光是太急切想去做一件事，就难免会做错了。

谁知朱大少却答应得很快，立刻道："好。"

好字一出口，他的手已拍下——并没有拍开白玉京的穴道，反而又点了他左右双膝上的环跳穴。

白玉京胃里在流着苦水，面上却不动声色，淡淡道："你莫非不想要孔雀图了？"

朱大少微微一笑，道："当然还想要，只不过若是劳动白公子的大驾，也是万万不敢当的。"

白玉京道："朱大少真客气。"

朱大少道："只要白公子说出那位袁姑娘在哪里，只要我们能找到她，立刻就回来送白公子上路，这么样岂非就不要劳动白公子的大驾了？”

白玉京道：“好，这法子好极了。”

赵一刀忍不住插嘴道：“你既然也觉得好，为什么还不说？”

白玉京道：“只可惜我虽然知道她在哪里，却说不出来。”

赵一刀道：“怎么会说不出来。”

白玉京道：“我忘记那地方的名字了。”

朱大少叹了口气，道：“各位有谁能令白公子想起那名字来？”

苗烧天冷冷道：“我。”

他忽然走过来，一只手从腰畔的麻布袋伸出，手里竟赫然盘着条毒蛇。赤练蛇。

连赵一刀都不由自主后退了两步。

苗烧天冷笑道：“蛇肉最是滋补，白公子若是吞下了这条蛇，记性想必就会变得好些的。”

他的手忽然向白玉京伸出，蛇的红信几乎已舔上了白玉京的鼻子。

白玉京只觉面上的肌肉渐渐僵硬，冷汗已渐渐自掌心沁出。

突然院子里有个非常迷人的声音，带着笑道：“各位可是在找我么？”

02

晨雾刚升起，烟云般缭绕在院子里，紫藤花上仿佛蒙上层轻纱，看起来更美了。

袁紫霞就站在紫藤花下，就站在这轻纱般的迷雾里，手里还举着根蜡烛。

她看起来也更美了，一种神秘而朦胧的美，使得她身旁的紫藤花却似已失去颜色。

苗烧天与白马张三已想冲出去。

袁紫霞道："站住。"她忽然将另一只手也举起，道，"两位若真的过来，我就将这样东西烧了。"

烛光闪动，她晶莹如玉的纤手里，高举着一卷素纸，距离烛光才半尺。

苗烧天和白马张三果然立刻站住，眼睛里已不禁露出贪婪之色。

白马张三勉强笑了一笑，道："姑娘想必也知道这样东西就等于是座金山，当然舍不得真烧了的。"

袁紫霞道："我当然明白，可是我若死了，要金山又有什么用？"

苗烧天和白马张三对望了一眼，慢慢地退了回去。

朱大少却走了出来，长长一揖，微笑道："姑娘芳踪忽然不见，在下还着急得很，想不到姑娘竟又翩然归来了。"

袁紫霞嫣然道："多蒙关心，真是不敢当。"

朱大少道："好说好说。"

袁紫霞道："久闻朱大少不但年少多金，而且温柔有礼，今日一见，果然是名下无虚。"

朱大少道："像姑娘这样仙子般的佳人，在下今日有缘得见，更是三生有幸。"

苗烧天忍不住冷笑道："这里又不是万金堂的客厅，哪里来的这么多废话。"

袁紫霞笑道："苗峒主这你就不懂了，女人最爱听的，就是废话，各位若想要我心里欢喜，就应该多说几句废话才是。"

苗烧天瞪眼道："我为什么要你心里欢喜？"

袁紫霞悠然道："因为我心里一欢喜，说不定就会将这东西送给各位了。”

朱大少忽然大声道：“不行不行，万万不行，这东西姑娘得来不易，怎么能随随便便就送给我们。”

袁紫霞笑得更甜了，道：“我本来也在这么想，可是现在却不同了。”

朱大少道：“哦！”

袁紫霞道：“我只不过是个孤苦伶仃的女人，若是身上带着这样东西，迟早总有一天，难免会死在别人手里的。”

朱大少叹息了一声，显得无限同情，道：“江湖中步步都是凶险，姑娘的确还是小心些好。”

袁紫霞道：“但我若将这东西送了出去，岂非就没有人会来找我了？”

朱大少勉强掩饰住面上的喜色，道：“这倒也有道理，只不过，姑娘就算要将这东西送出去，也得多少收回些代价才行。”

袁紫霞眨着眼，道：“那么，朱大少你看，我应该收回多少呢？”

朱大少正色道：“至少也得要一笔足够姑娘终生享受不尽的财富，而且绝不能收别的，一定要珠宝、黄金。”

袁紫霞叹了口气，道：“我也这么想，可是……这么大一笔财富，又有谁肯给我呢？”

苗烧天忍不住大声道：“只要你肯要，这里每个人都肯给的。”

袁紫霞大喜道：“那就太好了，只不过……”

苗烧天抢着问道：“只不过怎样？”

袁紫霞道：“里面还有个人是我的朋友，你们能不能让我看看他？”

忽然间没有人说话了，谁也不肯负这责任。

袁紫霞叹道：“我的手已举酸了，若是一不小心，把这东西烧了，怎么办呢？——只要烧掉一个角，也是麻烦的。”

她手里的纸卷距离烛光似已愈来愈近。

朱大少忽又笑了，道：“白公子既然是姑娘的朋友，姑娘要看他，当然也是天经地义的事，姑娘就请过来吧。”

袁紫霞用力摇着头，道：“不行，我不敢过去。”

朱大少道：“为什么？”

袁紫霞道：“你们这么多大男人站在那里，我怕得很。”

朱大少道：“姑娘要我们走？”

袁紫霞道：“你们若是能退到走廊那边去，我才敢进去。”

朱大少道：“然后呢？”

袁紫霞抿嘴笑道：“有这么多人在外面，我难道还会跟他做什么事？只不过说两句话，我就会出来，然后就可以将这东西交给各位了，各位也正好乘此机会，先商量好是谁来拿这东西。”

朱大少看了看赵一刀，赵一刀看了看白马张三。

白马张三忽然道：“我先进去问问他，看他肯不肯见你。”

他不等别人开口，已蹿进屋子，闪电般出手，又点了白玉京五处穴道，然后才转身推开窗户。

点穴道的道理虽然相同，但每个人的手法却并不一定相同的。

无论谁若被三种不同的手法点住了穴道，要想解开就很难了。

他们若发现袁紫霞有替他解开穴道的意思，再出手也还来得及。

朱大少微微一笑，道：“白公子想必是一定很想见姑娘的，我们为什么不识相些呢？”

白玉京躺在地上，看着袁紫霞走进来，却像是在看着个陌生人似的，脸上全无表情。

袁紫霞也在凝视着他，脸上的表情却复杂得很，也不知是歉疚，是埋怨，是悲伤，还是欢喜。

白玉京冷冷道："你来干什么？"

袁紫霞凄然一笑，道："你……你真的不知道我来干什么？"

白玉京冷笑道："你当然是来救我的，因为你又善良又好心，而且跟方龙香一样，都是我的朋友。"

袁紫霞垂下头，道："我本可以溜走的，但若不是为了关心你，为什么要来？"

她眼眶已红了，眼泪似已将流下。

突然青龙会的一个人在外面大声道："这东西本是青龙会的，自然该交还给青龙会，朱大少和赵帮主刚才岂非也已同意？"

袁紫霞眼睛里虽然已有泪盈眶，但嘴角却似乎露出了一丝笑意。

一阵风吹过，苗烧天耳上的金环叮当作响，一双火焰般燃烧着的眼睛，瞪着青龙会的三个人。

赵一刀倚着栏杆，对这件事仿佛漠不关心，但目光却在不停地闪动着。

白马张三用手指轻敲着柱子，好像受不了这种难堪的静寂，似是故意弄出点声音来。

黑衣人动也不动地贴在朱大少身后，脸上还是无表情。

这件事本就和他无关系，他关心的好像只是家里等着他拿钱回去吃饭的那八个人。

青龙会的三个人紧握着双拳，其中一人突又忍不住道："朱大少说的话，素来最有信用，这次想必也不会食言反悔的。"

朱大少终于笑了笑，道："当然不会，当然不会，只不过……"

"只不过怎么样？"

这人身材魁伟，满脸大胡子，一看就知道是个脾气很急的人。

朱大少道："我虽然答应三位，可是别人……"

虬髯大汉立刻抢着道："朱大少一言九鼎，只要朱大少答应，我兄弟就放心了。"

朱大少又笑了笑，道："只要我答应，三位就真的能放心了？"

虬髯大汉道："正是！"

朱大少叹了口气，道："好，我就答应你。"

虬髯大汉喜动颜色，展颜道："这次的事，青龙会绝不会忘了朱大少……"

突听"叮"的一声，他声音突然断绝。

接着又是一声惨呼，惨呼是别人发出来的，一枚金环忽然嵌入了他的咽喉，没有看见血，也没有听见惨呼，他的人已仰面倒了下去，然后，鲜血才慢慢地从他脖子里流出来……

他站在左边，惨呼声却是右边一个人发出来的。

就在苗烧天出手的那一瞬间，白马张三也突然出手，反身一掌，打在他鼻梁上，鲜血狂溅而出，他惨呼着捧着脸，白马张三的膝盖已撞上他的小腹，他弯下腰，突然像烂泥般倒下，身子已缩成一团，眼泪、鼻涕，随着鲜血一起流出，然后突又一阵痉挛，就不再动了。

中间的一个人本来正在满心欢喜，这次他们若能将孔雀图要回，无疑是大功一件，青龙会一向有功必赏，而且绝不吝啬，他心里正幻想着即将到手的黄金、美女和荣耀，忽然间他左右两个伙伴全都倒下。

赵一刀正站在他对面，冷冷地看着他。

他只觉得胃在收缩，恐惧就像是一只看不见的手，在用力拉扯着他的胃。

他勉强忍住呕吐，哽声道："赵……赵帮主刚才岂非也同意……"

赵一刀冷冷地道："刚才谁都不知道孔雀图是否能够到手，也没有人真的看见过孔雀图，现在……"他向那边开着的窗户看了看，微笑道，“现在孔雀图等于已在我们手上，我们为何要送给青龙会？”

这人道：“青龙会一向恩怨分明，赵帮主今日杀了我们，难道未曾想到青龙会的报复之惨？”

赵一刀淡淡道：“你们明明是被公孙静杀了的，青龙会为什么要找我们报复？”

这人终于明白了，青龙会岂非也时常嫁祸给别人呢？

他全身都已在发抖，用力咬着牙，道：“青龙会的人纵然已死光，赵帮主也未必能得到孔雀图，何况青龙会的卫天鹰说不定马上就要来了……”说到“卫天鹰”三个字，他仿佛突然有了勇气，大声道，“现在他说不定已到了门外，我们三个人虽然死在你们手里，你们三个人也休想能活着。”

听到“卫天鹰”三个字，苗烧天、赵一刀、白马张三的脸色果然都不禁变了，情不自禁，同时往大门外看了一眼。

门上的灯笼已熄灭，听不见人声，也看不见人影。

赵一刀冷笑道：“不管我们是死是活，你总还要先走一步的。”

白马张三道：“现在他的头一定很痛。”

赵一刀道：“我替他治。”刀光一闪，钢刀忽然已出鞘，一刀往这人脖子上砍了下去。

赵一刀号称一刀，这一刀之迫急沉猛，当然可想而知，这人的手也握住刀柄，但还未及拔出刀来，只好翻身先闪避，谁知赵一刀的招式竟在这一刹那间突然改变，横着一刀，砍在他胸膛上，鲜血乱箭般飙出。

这人惨呼一声，嘶声道：“卫天鹰，卫堂主，你一定要……要替我们报仇！”

惨厉的呼声突然断绝，他的人也已倒在血泊中。

静，静得可怕，虽然还没有人看见卫天鹰，但每个人心里却似已多了一个庞大、神秘、可怕的影子。

赵一刀在靴底上擦干了刀锋上的鲜血，苗烧天也取下了那人咽喉上的金环。

白马张三轻抚着自己的拳头，双眉皱得很紧。

朱大少忽然长长地叹息了一声，道："他们三个人现在总算已真的放心了，但下一个要轮到谁呢？"

白马张三脸色变了变，盯着苗烧天。

苗烧天冷笑道："小张三，你放心，下一个绝不是我。"

赵一刀突然大声咳嗽，道："好教各位得知，快刀帮已和赤发帮结为兄弟，从此以后，苗帮主的事，就是我赵一刀的事。"

苗烧天哈哈大笑，道："饭锅里的茄子，先捡软的挑，这句话你懂不懂？"

赵一刀道："懂。"

苗烧天大笑道："白马小张三，下一个是谁，现在你总该明白了吧？"

白马张三脸如死灰，道："好，你们好，我也未必就怕了你们。"

苗烧天道："你试试。"

他手中金环一振，突然扑了上去。

赵一刀道："苗帮主只管放心，我在后面替你掠阵。"

苗烧天狞笑道："小张三，你来吧。"

白马张三怒吼一声，突然抢攻三拳，竟已完全是拼命的打法。

苗烧天已是十拿九稳，胜券在握，当然不会跟他拼命，身形半转，后退了三步，大笑道："你拼命也没有用……"

笑声突然变为怒吼惨叫。

赵一刀已一刀砍在他背脊上，刀锋砍入骨头的声音连惨呼都能盖住，苗烧天身往前一扑，白马张三的铁拳已痛击在他的脸上，又是一阵骨头碎裂的声音。

苗烧天倒在栏杆上，手里金环“叮”地嵌入了栏杆。

他身子用金环支持着，还未倒下，一张脸已流血变形，火焰般燃烧的眼睛也凸出，充满了惊惧与愤怒，嗄声道：“赵一刀，你……你这畜生，我死也不会饶了你！”

赵一刀又在靴底擦着刀锋上的血，长叹道：“这也是没法子的事，快刀帮早已和白马帮结为兄弟，谁叫你看不出呢？”

白马张三哈哈大笑，道：“别人结誓喝血酒，我们喝的却是藕粉。”

苗烧天咬着牙，一只手插入腰畔的麻袋。

赵一刀和白马张三却不禁后退三步，并肩而立，盯着他的手。

苗烧天现在虽已不行了，但赤发帮驱使五毒的本事，别人还是畏惧三分。

谁知他的手刚伸进去，整个人突然跃起，“砰”地撞上了廊檐，又重重地摔下来，不会动了。

他的手已伸出，一条毒蛇咬在他流血的手背上，仿佛还在欣赏着苗烧天鲜血的美味，正如苗烧天欣赏蛇血的美味一样。

朱大少长长叹了口气，摇着头道：“主人流血，毒蛇反噬……蛇就是蛇，谁若认为它们也会像人一样讲交情，谁就要倒霉了。”

白马张三冷冷道：“人也未必讲交情的。”

赵一刀道：“不错。”

两人同时转身，面对着朱大少。

朱大少仰头道：“苗烧天虽然已死了，莫忘记还有赤发九怪。”

赵一刀冷笑道：“赤发九怪早已在地下等着他了，你用不着替他们担心。”

他的手又握住了刀柄，目光炯炯，瞪着朱大少，突然一个肘拳，打在白马张三肋骨上，打得真重。

白马张三整个人竟被打得陀螺般转了出去，“砰”地，也撞上了栏杆。

他还未及转身，赵一刀又是一刀！

好快的刀。

血又溅出，他的血更新鲜，苗烧天手背上的蛇，嗅到了血腥，就忽然滑了过来，滑入他的刀口里。

赵一刀在靴底擦去了刀上的血，冷笑道：“你自己说过，人也不讲交情的，与其等你不讲交情，倒不如我先不讲交情了。”

朱大少点着头道：“有理有理，对不讲交情的人，这法子正是再好也没有。”

赵一刀转身笑道：“但我们却都是讲交情的呀。”

朱大少道：“那当然。”

赵一刀哈哈大笑，道：“只可笑万金堂和快刀帮已结盟了三年，他们竟一点也不知道。”

朱大少道：“我是个守口如瓶的人。”

赵一刀道：“我也是。”

朱大少微笑道：“所以这件事以后还是一样没有人知道。”

03

门外的惨呼，就像是远处的鸡啼一样，一声接着一声。

白玉京脸色苍白，嘴角带着冷笑，但目中却又不禁露出悲伤之色。

他悲伤的并不是这些人，他悲伤的是整个人类——人类的贪婪和残暴。

袁紫霞的脸色也是苍白的，忽然轻轻叹息一声，道："你猜最后留的一个是谁？"

白玉京道："反正不会是你。"

袁紫霞咬起嘴唇，道："你……你以为我欺骗了你，所以希望看着我死在你面前。"

白玉京阖起眼，嘴角的冷笑已变得很凄凉，深叹道："这并不是你的错。"

袁紫霞道："不是？"

白玉京也叹息了一声，道："在江湖中混的人，本就要互相欺骗，才能生存，我让你欺骗了我，就是我的错，我并不怨你。"

袁紫霞垂下头，目中也露出痛苦之色，黯然道："可是我……"

白玉京忽然打断了她的话，道："可是你也错了一次。"

袁紫霞道："哦？"

白玉京道："你若以为你可以用手里的孔雀图要挟他们，你就错了。"

袁紫霞道："为什么？"

白玉京道："孔雀图虽然在你手里，就等于在他们手里一样，只要他们高兴，随便什么时候都可以拿走的。"

袁紫霞道："你难道以为我不敢烧了它？"

白玉京道："你不敢，因为你若烧了它，也是一样要死，死得更快，而且，以他们的武功，要打灭你手里的蜡烛，也并不是件很困难的事。"

袁紫霞道："可是他们刚才……"

白玉京又打断了她的话，道："他们刚才故意那样做，只不过是为了要先找个机会杀人，等到没有人抢夺时，再来拿你的孔雀图。"他悻悻地接着道，"朱大少做事，一向仔细得很，为了这孔雀图，他付出的代价已不少，当然绝不肯冒险的。”

袁紫霞霍然回头，因为这时她已听到朱大少的笑声，然后她就看见那黑衣人和朱大少。

朱大少背负着双手，站在门口，微笑道：“想不到白公子居然也是我的知已。”

袁紫霞失声道：“你出去，否则我就……”

“烧”字还没有说出口，突然刀光一闪，她手里的蜡烛已被削断。

但烛光并没有熄灭。

削下的半截蜡烛，还留在刀锋上。

刀在赵一刀手里。

他平举着手里的刀，冷冷地看着袁紫霞。

袁紫霞面无血色，忽然咬了咬牙，用力将手里的孔雀图向朱大少抛出，大声道：“拿去！”

赵一刀道：“多谢。”

这两个字出口，他的人已蹿出，反手一刀，挑起了孔雀图，一脚踏灭了自刀上落下去的蜡烛，趁势将孔雀图抄在手里。

他的手抓得好紧。

袁紫霞突又大声道：“朱大少，这东西我是给你的，你难道就眼看着它被人抢去？”

赵一刀面上狂喜之色似又变了。

朱大少却微笑着道：“我们是自己兄弟，这东西无论谁拿着都一样。”

袁紫霞道：“你不怕他独吞？”

朱大少道：“我们是讲交情的。”

赵一刀展颜大笑道：“不错，我们才是真正讲交情的，无论谁想来挑拨离间，我就先要他的性命！”

朱大少悠悠然道：“既然如此，你还等什么，这位袁姑娘现在想必也已头痛得很了。”

赵一刀狞笑道：“治头痛我最拿手。”

朱大少道：“我看你最好还是先治白公子，他是个怜香惜玉的人，绝不忍看着袁姑娘的头先不痛。”

赵一刀道：“谁先谁后都无所谓，有时我一刀就可以治好两个人的头痛。”

朱大少笑道：“这一刀想必好看得很。”

赵一刀大笑道：“保证好看。”

袁紫霞垂下头，凝视着白玉京，凄然道：“是我害了你……”

白玉京道：“没关系。”

袁紫霞道：“我只希望你明白一件事。”

白玉京道：“你说。”

袁紫霞道：“有些话我并没有说谎，无论我做了什么事，但我对你……”

第八章

第一种武器

01

朱大少微笑道："我知道你对他是真心的，所以我才成全你，让你陪着他一起死，你们无论有什么话要说，都可以等到黄泉路上……"

这句话还没说完，他身子突然僵硬，眼角突然迸裂，就像是突然有柄看不见的铁锤自半空中击下，打在他头上。

接着，他的脸也扭曲变形，突然喷出一口鲜血，身子向前冲出，带了一股血箭。

这次黑衣人并没有跟着他，还是动也不动地站在那里，脸上还是全无表情，只不过手里多了一柄刀，刀尖还在滴着血……

最后留下的一个人并不是朱大少，这只怕连他自己都想不到。

天亮了。

鸡啼已住，天地间仿佛只剩下朱大少的喘息声。

他伏在地上，牛一般喘息着，鲜血还不停地从他腰上的伤口往外流。

黑衣人冷冷地看着他，眼睛里还是带着那种奇特的嘲弄之色。

他嘲弄的并不是自己，是别人。

赵一刀张大了嘴，瞪大了眼睛。

他亲眼看到了这件事，却还是不能相信这是真的。

突然间，连喘息声也停止。

朱大少的人已变成了一摊泥，血中的泥。

黑衣人看着刀锋上最后一滴鲜血滴下去，才抬起头，道：“你看，我杀人只要一刀就够了。”

赵一刀一步步向后退，道：“但是他……他并没有马上死。”

黑衣人道：“那只因我不想让他死得太快，还要他多受点罪。”

赵一刀道：“你究竟是谁？”

黑衣人道：“你还猜不出？”

赵一刀看看他全无表情的脸，目中的恐惧之色更深，叹息道：“卫天鹰……你就是卫天鹰。”

黑衣人笑了，他眼睛里露出一丝尖刀般的笑意，脸上却还是全无表情。

赵一刀道：“原来你早就来了，原来你一直都在跟着我们。”

卫天鹰道：“现在你是不是也觉得很好笑？”

赵一刀突然大喝道：“袁姑娘，快解开白玉京的穴道，我先挡他一阵。”

袁紫霞叹了口气，道：“你为什么直到现在才肯让我解开他的穴道呢？现在岂非已太迟了。”她转过头，向卫天鹰嫣然一笑，道，“二哥，你说现在是不是已太迟了？”

“二哥”这两个字唤出来，赵一刀整个人就像是已自半空中落入冰窟里。

二哥，卫天鹰竟是她的二哥，他们竟是串通的。

赵一刀简直连死都不能相信，这种事实在太荒谬、太离奇。

袁紫霞明明偷了青龙会的“孔雀图”，青龙会明明想杀了她。

卫天鹰明明就是青龙会派出来追杀她的人。

他们两人怎么可能是同党呢？这种事有谁能解释？

02

赵一刀垂着头，看着手里的刀和孔雀图，就像是一个母亲在看着自己垂死的独生子一样。

他没再说一句话，他抛下刀，用两只手将孔雀图捧过去给卫天鹰。

若是换了别的时候，他也许还会拼一拼，但现在，所有不可能发生的事都已发生，他忽然发现自己已落入一个极复杂、极巧妙、极可怕的圈套里。

最可怕的是，到现在为止，他还不知道自己是怎样掉下来的，就只这一点，已使他完全丧失了斗志。

卫天鹰看着他手里的孔雀图，眼睛里的嘲弄之色更明显，淡淡道："你不想留着它？"

赵一刀道："不想。"

卫天鹰道："我也不想。"

他接过孔雀图，连看都没有看一眼，就撕得粉碎，抛了出去。

一阵风吹过，吹起了片片粉碎的孔雀图，就像是一只只蝴蝶。

赵一刀又怔住。

为了这卷孔雀图，有人出卖了自己，有人出卖了朋友，为了这卷孔雀图，所流的血，已可将外面的湖水染红，但现在卫天鹰却连看都没有看一眼，就随手撕得粉碎，这又是为了什么？

赵一刀只觉得满嘴都是苦水，忍不住转过头，瞪着袁紫霞，道：

“这是假的？”

袁紫霞道：“不错，这是假的。”

赵一刀道：“真的呢？”

袁紫霞道：“没有真的，真的还在孔雀山庄呢！”

赵一刀道：“你……你从公孙静手里盗出的那一卷呢？”

袁紫霞道：“我盗出的就是这一卷。”

赵一刀道：“但这一卷是假的。”

袁紫霞道：“我知道。”

赵一刀道：“你明知是假的，为什么还要冒险将它盗出来？”

袁紫霞微笑着，道：“因为这件事本来就是个圈套。”她笑得又甜蜜、又妩媚，慢慢地接着道，“这圈套最巧妙的一点，就是我们早已知道孔雀图是假的，这一点我们若不说出来你们只怕永远也想不到。”

赵一刀简直要晕过去了，他们为了这卷图，不惜拼命、流血，甚至不惜像野狗互相乱咬，但这卷图却是一张一文不值的假货，想到那些为这卷图惨死的人，看到地上还未干透的鲜血，他非但笑不出，连哭都哭不出，他还是想不出卫天鹰和袁紫霞葫芦里卖的究竟是什么药。

袁紫霞道：“孔雀图本是卫二哥经手买的，花的钱也不少。”

赵一刀舔了舔发干的嘴唇，道：“但买回来后，你们就发现买的是假货。”

袁紫霞道：“不错。”

赵一刀道：“你们吃了个哑巴亏，还不敢张扬出去，因为无论谁若花了青龙会的银子买张假货回去，青龙会都不会饶了他的。”

袁紫霞叹了口气，道：“何况卫二哥也丢不起这个脸，所以我只好替他出了个主意。”

赵一刀道：“什么主意？”

袁紫霞道：“我要卫二哥将这卷图给公孙静，叫他经手卖出去，卫二哥本是他的顶头上司，他当然不敢对卫二哥起疑。”

赵一刀道：“这一来烫山芋岂非就已到了公孙静手里？”

袁紫霞道：“他本不该接下来的，只可惜他又不能不接下来。”

赵一刀道：“可是……你为什么又要从他手里将这烫山芋盗走呢？”

袁紫霞道：“因为我一定要你们相信这卷图是真的。”

赵一刀道：“我还是不懂。”

袁紫霞道：“你们都是很精明的人，当然不会做吃亏的生意。”

赵一刀道：“的确不会。”

袁紫霞道：“你总该也知道青龙会的规矩，是一向不肯得罪江湖朋友的。”

赵一刀叹了口气，苦笑道：“我的确知道。”

袁紫霞道：“所以你们出价之前，一定要先看看这张图的真假，按照青龙会以前的规矩，也一定不会拒绝——”她嫣然笑道，“这一看，岂非就要看出毛病来了吗？”

赵一刀道：“所以你就索性将图盗走，叫我们根本看不见。”

袁紫霞道：“何况你们若发现这卷图被人盗走，就一定不会再怀疑它是假的。”

这本就是人类心理的弱点之一，她不但很了解，而且利用得很好。

赵一刀叹道：“再加上公孙静一畏罪逃走，我们当然就更不会怀疑了。”

袁紫霞道：“所以你们就一定会急着来追。”

赵一刀道：“不错。”

袁紫霞道：“但我若很容易就被你们追到，你们说不定又会开始怀疑的。”

赵一刀苦笑道："不错，愈不容易到手的东西，总是愈珍贵。"

袁紫霞道："可是我非要被你们追到不可。"

赵一刀又不懂了，忍不住问："为什么？"

袁紫霞道："因为这圈套最重要的一点，就是要你们相信这卷图是真的，要你们看到这卷图，要你们为了这卷图自相残杀，然后……"

赵一刀道："然后怎么样？"

袁紫霞悠然笑道："等你们死光了之后，我们才能将你们的黄金珠宝拿回去——不费吹灰之力就拿回去，而且不必担心有人会来找我们麻烦，因为你们本就是互相杀死的，本就和我们完全没有关系。"

赵一刀道："原来你们这样做，为的就是要我们带来的黄金珠宝。"

袁紫霞道："财帛动人心，这句话你总该也明白的。"

赵一刀道："你们拉白玉京下水，为的也是要他身上的东西。"

袁紫霞道："还有他身上的那柄剑。"她突然叹息了一声，道，"但我还是很感激他，若不是他在保护我，这计划也许就不会完全成功了。"

赵一刀道："为什么？"

袁紫霞道："因为若是要计划完全成功，公孙静就一定要先死，方龙香也非死不可。"

赵一刀道："为什么？"

袁紫霞道："因为他们若不死，这卷图你们就未必有把握能到手，也未必肯拚命了。"

赵一刀想了想，苦笑道："不错，就因为我们已有把握拿到这卷孔雀图，所以刚刚才会杀了苗烧天和白马张三。"

袁紫霞又叹了一口气，道："但若不是白公子的长生剑，公孙静和方龙香又怎会死得那么容易呢？"

赵一刀道："难道公孙静也和我们一样被蒙在鼓里？"

袁紫霞道："当然。"

赵一刀道："他难道不认得你？不知道你也是青龙会的人？"

袁紫霞淡淡道："他只不过是个小小的分坛堂主而已，青龙会里的人，十个中他只怕有九个是不认得的。"

赵一刀道："你怎么能要他上当的？"

袁紫霞笑了笑，道："我就算要他的命，也容易得很，何况要他上当。"

赵一刀看着她脸上又甜蜜、又妩媚的笑容，忍不住又长长叹了口气，道："我若是他，只怕也一样会被骗的。"

袁紫霞嫣然道："只怕你被骗得还要惨些。"

赵一刀道："但方龙香既然也是青龙会的人，你们为什么要杀他？"

袁紫霞道："因为他若不死，你们的黄金珠宝，就要变成青龙会的了。"

赵一刀愕然道："现在难道不是？"

袁紫霞道："当然不是。"

她笑得更甜，接着道："现在这里每分银子，都是我跟卫二哥两个人的。"

赵一刀怔住半晌，苦笑道："我也算是个老江湖了，也曾看过不少阴险毒辣的人，听过不少巧妙狡猾的诡计，但若和你一比，那些人简直就像是还在吃奶的小孩子。"

袁紫霞笑道："谢谢你的夸奖，我一定永远不会忘记的。"

卫天鹰忽然道："你的话问完了吗？"

赵一刀道："问完了。"

卫天鹰道："现在你是不是也已有些头疼？"

赵一刀道："的确疼得很。"

卫天鹰道："你自己会不会治你自己的头疼呢？"

赵一刀叹了口气，道："幸好我还会治，否则只怕就要疼得更厉害了。"

他果然治好了他自己的头疼——一个人的头若被砍了下来，就绝不会再疼了！

白玉京一直在看着，听着，脸上仿佛也跟卫天鹰一样，戴上了层人皮面具。

易容本就是忍术中的一种。

但朱大少始终未认出他，倒并不是因为他的忍术高明。那只不过因为朱大少从未关心过他扮成的这个人——一个老实听话的保镖，在朱大少眼睛里，并不比一条狗重要多少。他若肯对别人多关心些，自己也许就不会死得这么惨了。

卫天鹰看着自己手里的刀，冷冷道："赵一刀是个聪明人，所以他的头很快就不疼了。"

袁紫霞道："聪明人做事，总是用不着麻烦别人的。"

卫天鹰道："白玉京呢？"

袁紫霞眨了眨眼，道："好像不如赵一刀那么聪明。"

卫天鹰道："所以他只好麻烦你了。"

他忽然伸出手，将刀送到袁紫霞面前。

袁紫霞道："你知道我不喜欢拿刀。"

卫天鹰道："你杀人不用刀？"

袁紫霞嫣然道："而且不见血。"

卫天鹰道："能不能破例一次？"

袁紫霞叹了口气，道："你要我做的事，我怎么会不答应？"她接过刀，转过身，看着白玉京，幽然道，“我实在不忍杀你的，但我若不杀你，卫二哥一定会生气，所以我只好对不起你了。”

白玉京道：“不必客气。”

袁紫霞道：“我很少用刀，若是一刀杀不死你，也许会疼的。”

白玉京道：“没关系。”

袁紫霞道：“好，那么我就真的不客气了。”

她忽然转身，一刀向卫天鹰刺了过去。

好快的刀。除了她自己之外，绝没有别人能说她不会用刀。

卫天鹰眼睛里还是带着那种嘲弄的笑意，看着这一刀刺来，突然双手一拍，已将刀锋夹住。

袁紫霞脸色终于变了，真的变了。

卫天鹰冷笑道：“你知不知道我为什么要将这柄刀给你？”

袁紫霞咬着嘴唇，摇了摇头。

卫天鹰道：“我就是要你来杀我。”

袁紫霞道：“为什么？”

卫天鹰道：“因为我也跟你一样，我也想独吞这批货。”

袁紫霞叹了口气，道：“难道你一定要我先杀了你，你才能下手杀得了我？”

卫天鹰道：“不错，否则我真有点不忍下手呢。”

袁紫霞叹道：“看来我毕竟还是做错了一次。”

卫天鹰道：“每个人都难免有做错事的时候。”

袁紫霞道：“但你也想错了。”

卫天鹰道：“哦。”

袁紫霞道：“我要杀你，并不是为了想独吞。”

卫天鹰冷笑道：“你难道是为了救他？”

袁紫霞凄然笑道："像我这种人，若非已动了真情，怎么会做错事？"

卫天鹰冷冷道："只可惜他已无法来救你。"

白玉京忽然也叹了口气道："你又想错了。"

这五个字出口，袁紫霞已后退了七尺，脚尖一挑，挑起了地上的长生剑。

白玉京已动身跃起，抄着了这柄剑。等到这五个字说定，他已刺出了三剑，剑光如星雨银河。

卫天鹰的刀若在手，也许可以架开这三剑，只可惜他的刀锋已被他自己夹住。

他的手若是空着的，也许还可以变招闪避，只可惜他的手已夹住了自己的刀。

他反手、退步，回转刀锋，变招已不能算不快，只可惜，白玉京的长生剑更快。

水银般的白剑光一闪，两只血淋淋的手，已跟着手里的刀一起落下——

03

不知何时，阳光已升起，照着窗户，窗户上画着一点点杨花，用鲜红画成的杨花。

白玉京静静地站着，面对着窗户，也不知过了多久才缓缓道："你是不是知道我穴道已开了，所以才没有下手杀我？"

袁紫霞垂着头，不说话。

白玉京道："你不知道？"

袁紫霞还是不说话。

白玉京霍然回头，对着她："你究竟是为了什么？"

袁紫霞忽然展颜一笑，嫣然道："你猜呢？"她笑得真甜，真美。

白玉京叹了口气，道："我只怕永远猜不着的。"

袁紫霞眨着眼，忽又搔了搔头，柔声道："你总有一天一定会知道的。"

白玉京又沉默了很久，忽然道："好，现在我们走吧。"

袁紫霞道："去哪里？"

白玉京道："当然是青龙会。"

袁紫霞皱眉道："到青龙会干什么？"

白玉京沉下了脸，道："你真的不知道我是谁？"

袁紫霞道："你是谁？"

白玉京冷冷道："我就是青龙十二煞的红旗老幺，像你这种人，当然不会认识我。"

袁紫霞脸色又变了，真的变了。

白玉京沉着脸道："你们自己以为这件事伪装得神不知，鬼不觉，其实青龙老大早已看出来了，所以才要我在暗中调查。"

袁紫霞道："你……你真的要送我回去。"

白玉京："当然。"

袁紫霞道："你真的这么狠心？"

白玉京冷笑道："对付狠心的人，我一向不客气。"

袁紫霞看着他，突然弯下腰去大笑，笑得眼泪都流出来了。

白玉京反而怔住，吃惊地看着她，忍不住问道："你笑什么？"

袁紫霞道："笑你。"

白玉京道："笑我？我有什么好笑？"

袁紫霞勉强忍住笑，道："你实在很会演戏，只不过，你若是红旗老幺，我是谁呢？”

白玉京又怔住。

袁紫霞道：“老实告诉你，我才是青龙十二煞中的红旗老幺。”

白玉京道：“你……你是？”

袁紫霞微笑着道：“卫天鹰嗜赌，输了三十万两，却故意说买了幅假的孔雀图；公孙静好色，玷污了不少良家女子；方龙香贪财，吞没了十七万两公账，这些事情青龙老大都已知道，所以才特地叫我来清理门户的。”

白玉京道：“只有你一个人？”

袁紫霞道：“我做事素来只有一个人。”

白玉京道：“你一个人就想清理门户？”

袁紫霞道：“一个人就已够了。”

白玉京道：“可是你的武功……”

袁紫霞淡淡道：“一个人只要懂得利用自己的长处，根本不必用武功也一样能够将人击倒。”

白玉京道：“你的长处是什么？”

袁紫霞嫣然一笑，不说话了。

她笑得真甜、真美，美极了……

“你骗了我那么多次，我本来也想骗你一次，让你着急的，想不到还是被你揭穿了。”

“我几时骗过你？”

“你没有？”

“我若是骗你，现在又何必跟你逃走，连青龙会的红旗老幺都不做了。”

“也许你根本也不是真的红旗老幺。”

“……”

“你究竟是不是？”

“你猜呢？”

白玉京知道他自己永远猜不出的，但这也不重要。

重要的是，她就在他身旁，而且永远不会再离开他，这就已足够了。

这就是我说的第一个故事，第一种武器。

这故事给我们的教训是——无论多锋利的剑，也比不上那动人的一笑。

所以我说的第一种武器，并不是剑，而是笑，只有笑才能真的征服人心。

所以当你懂得这道理，就应该收起你的剑来多笑一笑！

孔雀翎

第一章

五刺客

01

黄昏。

高立站在夕阳下，后面“状元茶楼”金字招牌的阴影，恰巧遮住了他的脸。

他的脸仿佛永远都隐藏在阴影里。

他身上穿着件宽大的蓝布道袍，非常宽大，因为他必须在道袍下藏着他那对沉重而又锋利的银枪。

锋利的枪尖正顶着他的肋骨，那件白府绸的内衣早已被冷汗湿透。

每次要杀人前，他总是觉得很紧张。

这条街本是城里最繁荣热闹的地方，现在也正是最热闹的时候。

他目光从熙来攘往的人群中穿过去，就看到了对面一个卖菱角的小贩。

这小贩叫丁干。

丁干是个很高大的人，甚至已有些臃肿，但却长着双很灵巧的手。

现在他正蹲在路旁，用一把小小的弯刀，将篮子里的菱角一个个剖开。

他手法看来并不十分灵巧。

因为他通常只会用这种弯刀杀人，据说他杀的人已比篮子里的菱角还要多些。

状元茶楼的斜对面，有个很简陋的酒铺，只卖酒，不卖菜。

大酒缸上铺着木板，酒客就坐在旁边的小竹凳上，用自己带来的小菜下酒。

这酒铺里只有一个人没有喝酒。

这人叫汤野。

汤野很壮、很矮，乱蓬蓬的头发总喜欢用一根白布带绑着。

谁也不知道他是什么地方的人，谁也不知道他是从哪里来的，只知道他嘴里总是不停地在咀嚼着一种叫“槟榔”的硬果。

有人说那本是东瀛海盗和浪人的习惯，但却从来没有人敢问他。

据说曾经有两个问过他的人，都已在半夜被人割下舌头。

他旁边摆着根扁担，看来正是个苦力挑夫。

但他当然并不是真的挑夫，就正如高立也不是真的道士。

他这根扁担里，藏着四尺三寸长的斩马刀。

还有个人也是苦力的打扮，正坐在汤野对面喝酒。

这人很年轻，别人都叫他小武。

小武当然是汤野的朋友，但看来却一点也不像是汤野的朋友。

他们根本是两种完全不同类的人。

小武看来仿佛是个很随便、很懒散的人，很喜欢笑，很喜欢喝酒。

没有人能想象到他杀人时的动作是多么迅速，多么准确。

他若要刺瞎你的左眼，他的剑就绝不会刺在你别的地方。

他的剑也藏在他身旁的扁担中。

从高立站着的地方往右面走十来步，树荫下停着辆很宽敞的黑漆马车。

赶车的正在打瞌睡，长长的乌梢马鞭就挂在他手边的车座上。

他就叫马鞭。

他的人就是条马鞭，鞭子就是他的生命。

若没有这条鞭子，他这人已不知死了多少次。

但鞭子一直总在他手里，所以他没有死。

所以死的是别人！

他们五个人是一起来的。

高立、丁干、汤野、小武、马鞭。

就在这里，就这五个人，立刻就要做出一件惊人的事。

他们做的事总是要流血的！

02

七月十五是中元，也是鬼节。

“七月中元日，地官降下，定人间善恶，道士于是日诵经，饿鬼囚徒，亦得解脱。”

这是“修行记”上对这个日子的解释。

但我们要说的“七月十五”，并不是一个日子，而是一种秘密的组织。

一种秘密的杀人组织。

他们自己决定别人的善恶，然后就自己去替别人解脱。

——死岂非也是种解脱。

高立、丁干、汤野、小武、马鞭，就正是这组织中，五个最可怕的刽子手。

他们今天要杀的人是百里长青。

“辽东大侠”百里长青！

百里长青也许并不是当今江湖中武功最高、声名最显赫的人，但由他直接统辖的“长青镖局”，却无疑是所有镖局中最成功的。

长青镖局在辽东每一处城镇都有分局，长青镖旗无论走到哪里都有照应。

因为百里长青不但善于用人，而且做事更极有系统，极有效率。

他这次入关，是被中原四大镖局联合请来的。

江湖传言，都说这四大镖局想和“长青”合并，组织成一个空前未有的联营镖局。

从此以后，从北六省到辽东一带的镖货，都由他们联合运送。

从此以后，黑道上想要劫镖的朋友，日子当然会一天比一天难过了。

这的确是件了不起的大事，这种事也只有百里长青这种人才能主持。

所以有很多人都觉得他绝不能死，也有很多人认为他非死不可！

暮色渐浓。

百里长青已随时都可能在这条街上出现。

他是个忙人，所以他的行程一向安排得很紧凑，预计中他在戌时到达这里，在状元茶楼略进饮食，就立刻要赶到下一站去。

可是在“七月十五”的预计中，他却永远再也休想到达下一站了。

他的扈从除了长青镖局中四名镖师之外，还有中原“镇远镖局”的主人和“振威镖局”的总镖头。

这一行七个人当然也全都是高手。

但“七月十五”却早已有了对付他们的法子，这法子当然极周密、极有效。

他们杀人是从不会失手的。

六天前他们已开始练习，到现在已练习过六十次以上。

他们对那其中的每一个细节，每一个动作，都已像对自己的手掌同样熟悉。

现在他们唯一还要做的，就是等百里长青来。

他一来，就得死！

03

“百里长青绝不能死！”

高立握着双拳，风从长街尽头处吹来，吹着他湿透了的衣服。

他全身冰冷，他的心更冷。

每一个细节，每一个步骤，早已经全都安排好了。

百里长青一行人只要一走上这条街，马鞭的大车就已准备开始行动。

六步行动。

丁干用暗器惊动百里长青的马。

这匹马受惊后开始往前蹿，马鞭的大车就从中间将他和扈从的人隔断。

汤野用斩马刀斩断这匹马的前蹄。

高立和小武左右夹攻。

丁干再以独门弯刀从后面暗算。

他们已计算过，这六步行动若能达到最快的速度，在眨眼四次间，已可全部完成。

他们在练习了四十次后，已能达到这种速度，但为了要更可靠，还是再练习了二十次。

“只许成功，不许失败！”

他们的行动从未失败，没有人能在这种速度下避开这一击。

绝没有！

“镇远镖局”的主人邓定侯，可以说是中原四大镖局主人中，思想最开明，做事最有魄力的一个人。

这次的计划，就是他发起的，所以他自己远赴辽东，亲迎百里长青入关。

邓定侯人称“神拳小诸葛”，本是少林俗家弟子中的佼佼者。

他的百步神拳已练到八九分火候，据说已不在少林本寺的四大护法长老之下。

但中原四大镖局的第一高手并不是他，而是“振威”的总镖头“乾坤笔”西门胜。

他的点穴、打穴和内家绵掌的功夫，在中原已不作第二人想。

再加上“长青”旗下的辽东四龙，一个个都是天生神力，一身十三太保横练的功夫，据说已能赤手生裂虎豹。

“七月十五”的五刺客一击得手，是不是也能全身而退？

能！

他们撤退的计划，几乎也和进攻同样周密。

马鞭的大车里，装满了他们重金从关西霹雳堂购来的火药。

他们先用大车将百里长青和扈从的人隔断，一击得手后，就立刻引爆火药。

然后他们就向西撤退。

这时道路当然已完全被隔断，邓定侯他们座下的马当然也已被火药的爆炸所惊，五刺客乘乱而退，别的人根本无法追踪。

这一次行动的代号就叫作“天衣”。

因为这计划实在本就已可算是天衣无缝。

现在百里长青唯一的机会，就是改变行程，不走这条路。

“噗、噗、噗。”

一个卖卜的瞎子，突然从街角转了出来，左手敲着竹板，右手高举着面白布招：

“天衣神算，万无一失。”

马鞭的手立刻握起了他的鞭子，汤野挑起了扁担，小武放下了酒碗，丁干剖菱角的动作也立刻停止。

天衣行动已即将开始。

因为这瞎子的布招，就是他们约定的讯号。

这布招一举起，就表示百里长青已按照预定的行程来了。

他既然来，就非死不可。

高立的心沉了下去——百里长青绝不能死！

现在能救百里长青的人，也只有他一个人。

“七月十五”这组织的严密，他当然很了解，背叛组织的人，非但休想再活下去，连想死都很困难。

但他还是非救百里长青不可，因为百里长青也救过他。他掌心淌着汗，慢慢地伸手入怀，握住了他的银枪。他已看见七骑马正慢慢地从街角后转入了这条大街。

第一匹马上的人，凤眼长眉，须发花白，天青色的长衫，系着条深蓝色的丝带，绿鲨鱼皮的剑鞘，轻敲着马鞍。

他的人端坐在马鞍上，腰杆还是挺得笔直，眼睛还是炯炯有光，看来简直就和十一年前完全一样。

有些人就像是永远也不会老的，百里长青无疑就是这种人。

何况，他就算已改变了很多，高立还是一眼就能认出他。

有些人本就能令你永生难以忘怀。

高立只觉得胸中一阵热血上涌，连咽喉都似已被堵塞，连声音都已几乎发不出。他一定要尽力控制住自己，他一定要大声高呼，告诉百里长青这里有危险，有刺客。

七匹马都已转入大街。

清癯瘦削、凛凛有威的"乾坤笔"西门胜，和面白微须，气度从容的邓定侯，紧跟在百里长青马后。

最后面是四条年轻而剽悍的大汉，褐黄短衫上绣着虎纹，衣襟敞开。

他们的胸膛看来就像是钢铁。

路上的人似也被这一行人马的气势所慑，情不自禁，纷纷走避，让开了道路。

现在百里长青的马，距离天衣行动开始的那条线，已不及两尺。

高立握紧了他的枪，正准备冲出去，一面高呼示警，一面向马鞭攻击。

但就在这时，他忽然感觉到一样冰冷坚硬的东西，抵住了他的背脊。

一柄刀，尖刀！

一个比刀还尖锐的声音，贴着他的脖子，一个字一个字地说："我们已查出百里长青对你有恩，你的位置已有人接替，免得你为难不忍下手，这次行动你已可退出。”

高立全身都已冰冷僵硬。

尖刀已从后面移过来，刀尖就在他心口上的肋骨之间。

刀若从这里刺下去，被刺的人是绝对发不出一点声音来的。

只有经过严密训练的人，才懂得用这种方法杀人。

他当然懂得，他已经完全不能动。

就在这时，百里长青座下的马已发出一声惊嘶，向前蹿出。

马鞭的大车也已向街心冲出。

百里长青已必死无疑。

天衣行动，万无一失。

每一种意外，每一种可能发生的变化，都已在他们计算之中。

来的刺客竟不止五个。

那卖卜的瞎子不知何时已走到状元茶楼的招牌下，突然自撑着布招的竹竿中，拔出了一柄长剑，向百里长青飞身扑出。

他也不是真的瞎子。

那边的汤野和小武当然也开始行动。

健马惊嘶，人群惊呼。

大车已将邓定侯一行人马隔断。

汤野四尺三寸长的斩马刀，刀光如雪，长虹般劈下。

小武紧跟着他身后，手中剑轻巧而锋利。

马上的百里长青已变了颜色，提缰带马，但长刀已斩断马蹄。

小武的剑也跟着刺出。

血光飞溅中，突然发出一声惨呼！

惊呼声赫然竟是汤野发出来的，小武的剑竟已刺入他背脊。

瞎子一惊，剑势一缓。

身经百战的百里长青当然绝不会放过这机会，清啸一声，人已自马鞍上冲天飞起。

只听风声急响，光芒闪动，七柄弯刀恰巧擦着他足底飞过。

站在高立身后的人，显然也没有想到这完全意外的变化。

他们已将这五个人全都详细调查过，小武非但和百里长青绝无关系，和中原的四大镖局也绝对没有往来，他生平也未曾出关一步，他为什么要背叛组织？为什么要救百里长青？

这人又惊又怒，正不知该如何应变，突然已听到自己骨头碎断的声音。

高立的肘拳已打在他肋骨上。

高立反手一个肘拳，猛击这人的肋骨，这人倒下时，他的人已蹿起。

马鞭还未及点燃火药，变化已发生。

他惊怒之下，挥鞭去缠百里长青的腿。

百里长青身子凌空，已无法变势闪避，眼见着长鞭毒蛇般卷来，突然又有银光一闪——

一柄银枪迎上了鞭梢，另一柄银枪反刺马鞭。

马已倒下，恰巧压住了百里长青的剑。

突听一声霹雳般的大喝，宽大坚实的马车，突然被打得粉碎。

四条虎纹黄衣大汉，猛虎般冲过来，两人一挥手，已将地上的死马抬起，反手一抡，挟着风声，向丁干砸了过去。

丁干第二次飞刀刚发出，死马已带着点点飞溅的鲜血撞来。

七柄弯刀竟都打在马尸上。

他还未及后退，一双黑铁判官笔已在等着他。

乾坤笔打穴的功夫，天下皆知。

小武已接了瞎子三招。

两柄剑都快，小武的剑更快，剑光一闪，瞎子前胸衣襟已被割破。

小武并没有追击，因为这时百里长青的剑也已出手。

百里长青挥剑而上，百忙中还向他说了声：“多谢。”

小武笑了笑。

百里长青剑光闪动，刺出三剑，又道：“足下高姓，大恩……”

小武又笑了笑，不等他的话说完，人已飞身而起，蹿上了屋脊。他知道这地方已用不着他。

高立用的是双枪，但这时他双枪都已收起，因为邓定侯的百步神拳已逼住了马鞭，马鞭已无法尽量施展，人已被逼至死角。

少林的百步神拳，果然有它不容忽视的威力。

百里长青的剑法独霸辽东，本就是当世的七大剑客之一。

高立知道这地方已用不着他，他决心去追小武，他已对这神秘的少年发出了极浓厚的兴趣。

百里长青好像正在喊：“高立，高老弟，等一等……”

高立没有等，他的人也已掠上屋脊。

百里长青的恩情，他总算已报答，他已不愿再连累别人。因为他知道“七月十五”是绝不会放过任何一个叛徒的。他现在就要开始逃亡，逃亡，不停地逃亡，直到死为止，这本就是他这种亡命之徒的命运。

但他总算已不再欠别人的，对他来说，这就已足够。

第二章

浪子泪

01

夜，月夜。

月色朦胧，高立依稀还可以看到小武的影子。

他一向对自己的轻功很有自信，现在才发觉这少年的轻功竟也不在他之下。

一重重屋脊在月色下看来，就像是一排排野兽的肋骨。

上弦的新月在屋脊上看来，近得就像是一伸手就可摘下。

每个人岂非都有过要去摘星摘月的幻想，但每个人心里的月亮却都不同。

高立心里的月亮是什么呢？只不过是平静的生活，只不过是一个温暖的家。

但这在他说来，甚至比天上的月亮还遥远。

没有家，没有亲人，没有朋友，没有人比他更了解孤独的可怕。

他决心要追上朋友。

他实在太需要一个朋友——一个和他命运相同的朋友。

一重重屋脊在他足下飞一般倒退，突然退尽。

前面已是荒郊。

荒郊的月夜更冷，小武的身形忽然慢了下来，像是在等他。

他的身形也慢了下来，他并不急着追上去。

两个人一前一后，慢慢地走着，愈走愈慢，天地间忽然已经没有别的声音，只剩下他们的脚步声。

远方有星升起，冷月不再寂寞。

但人呢？

前面有疏落的树枝。

小武找了棵枝叶并不十分浓密的大树，跃上去，在枝丫间坐下。

高立也掠上一棵树，坐下来。

天地静寂，风吹过木叶，月光自树梢漏下，静静地洒在他们身上。

沉静并不是寂寞，因为现在已有人跟他一起分享这沉静。

也不知过了多久，高立忽然笑了笑，道："我本来以为百里长青已必定要死了。"

小武道："哦。"

高立道："我加入'七月十五'已三年，到今天才知道他们根本从未信任过我。"

小武道："他们根本从未信任过任何人。"

高立道："我也从未想到过，你居然也会出手救他。"

小武笑了笑，道："也许连我自己都从未想到过。"

高立道："你认得他？"

小武道："不认得，你呢？"

高立道："他……他救过我。"

小武道："你去过辽东？"

高立道："嗯。"

小武道："去干什么？"

高立道："去采参，野山参。"

他眼睛忽然亮了起来，充满了对往事的回忆和怀念，慢慢地接着道："那也许就是我一生中最快乐的一段日子，自由自在，无忧无虑，虽然很冒险，但却是绝对值得的。"

小武道："值得？"

高立微笑着，道："你只要找到过一只成形的野参，就可以舒舒服服地过一年。"

小武道："你找到过？"

高立道："就因为我找到过，所以才险些死在那里。"

小武道："为什么？"

高立道："野参本是无主的，谁第一个发现它，就是它的主人，就可在那里留下你的标志。"

小武道："为什么要在那里留下标志？为什么不采走？"

高立道："采参也和杀人一样，要等待时机，因为成形的野参有时已几乎比人还有灵性，你若太急、太鲁莽，它就会走的。"

小武道："你说它会走？"

高立笑了笑，道："这种事你听起来也许会觉得太神秘，但却是千真万确的事。"

小武的确觉得很神秘，所以他在听。

高立继续道："我找到了一只成形的老山野参，留下了标志，但等我再来时，才发现标志已换了别人的。"

小武道："你为什么要走？"

高立道："去找帮手，在山上采参的人，也有很多帮派，我们去的一共有九个人。"

小武道："对方呢？"

高立苦笑道："他们既然敢做这种强横无耻的事，人手当然比我们多，其中还有五个人，本就是辽东黑道上的高手，为了避仇才入山的。"

小武道："你那时武功当然不如现在。"

高立道："所以我受了伤，而且伤得很重。"

小武道："百里长青恰巧赶来救了你？"

高立道："不错。"

小武道："他怎会来得这么巧？"

高立道："只因他本就一直在追踪那五个黑道的高手。"

天下本就没有侥幸凑巧的事。

无论什么事，必定先有因，才有果。

小武沉默着，忽又笑了笑，道："你发现对方有五人是黑道高手时，一定觉得很倒霉。"

高立点点头。

小武道："但若不是他们五人，百里长青也不会来救你了。"

高立又点点头。

小武也不再说什么，他相信他的意思高立必定已明白。

世上本就没有真正幸运的事，也绝没有真正的不幸。

幸与不幸之间的距离，本就很微妙。

所以你若遇见一件不幸的事，千万不要埋怨，更不要气馁。

就算你已被击倒也无妨，因为你只要还活着，就一定还有站起来的时候。

夜更静。

又过了很久，高立才问道："他当然没有救过你。"

小武道："没有。"

高立道："你为什么要救他？"

小武道："他救你的时候，你岂非也没有救过他。"

高立道："我没有。"

小武道："你若觉得应该去做一件事，就一定要去做，根本不必问别人曾经为你做过什么。"

他目光凝视着远方，慢慢地接着道："汤野就算是我的救命恩人，今天我还是会杀他，百里长青就算是我的仇人，今天我也一样会救他，因为我觉得非这么做不可。"

他脸上仿佛在发光，也不知是月光，还是他自己心里发出来的光。

高立已感觉到这种光辉。

他忽然发现这少年并不是他想象中那种浅薄懒散的人。

小武又道："中原的四大镖局若真的能够与长青联并，江湖中因此而受益的人也不知有多少，我救他，为的是这些人，这件事，并不是为了自己。"

高立凝视着他，忍不住轻轻叹息，道："你懂的事好像不少。"

小武道："也不太多。"

高立道："你剑法好像也并不比百里长青差多少。"

小武道："哦。"

高立道："百里长青多年前已是名满天下的七大剑客之一。"

小武道："他排名好像第六。"

高立道："你呢？"

小武笑了笑，答道："我只不过是一个无名小卒。"

高立道："但剑法并不是天生就会的。"

小武道："当然不是。"

高立道："是谁教你的剑法？"

小武道：“你在盘问我的来历？”

高立道：“我的确对你这个人觉得很好奇。”

小武淡淡地说道：“我想不到你居然还有好奇心。”

他的确想不到。

这组织中的人，非但已全无好奇心，也已完全没有感情。

他们几乎每天相处在一起，但彼此间却从未问过对方的来历。他们也曾并肩作战，出生入死，但彼此间却从来不是朋友，因为友情可以软化人心，他们的心却要硬，愈硬愈好。

高立道：“我对你好奇，也许只因为我们现在已是朋友。”

小武道：“有朋友的人死得早。”

高立道：“没有朋友的人，活着岂非也和死了差不多。”

小武又笑了，道：“像你这样的人，你不该在组织里的。”

高立道：“你觉得很奇怪？”

小武道：“很奇怪。”

高立也笑了笑，道：“我也正想问你，像你这样的人，怎么会加入这组织的？”

小武沉默着，似在沉思。

高立目中也带着沉思的表情，忽又道：“我们住的地方并不好。”

小武点点头。

他们住的屋子简陋而冷清，除了一床一几外，几乎再也没有别的。

因为任何一种物质上的享受，也都可能令人心软化。

高立道：“但那地方至少是我们的，你无论在那里做什么，都没有人干涉你。”

他嘴角露出一丝凄凉的笑意，接着又道：“那至少可以让你感觉到，你总算还有一个地方可以回去睡觉。”

小武当然能了解他这种感觉。

只有像他们这种没有根的浪子，才能了解到这种感觉是多么凄凉酸楚。

高立道："我们的日子也并不好过。"

小武又点点头。

那本是种看不见阳光的日子，没有欢笑，没有温暖，甚至没有享受。

他们随时随刻都在等待中，等待下一个命令。

他们的精神永远无法松弛。

小武记得他每次看见汤野的时候，汤野都在擦他的刀。

高立黯然道："但那种日子至少很安定，那至少可以让你感觉到，你每天都可以吃饱，每天都可以睡在不漏雨的床上。"

小武道："你加入他们，难道只因为你那时已无处可去？"

高立笑得更凄凉，缓缓道："我现在还是一样无处可去。"

小武道："你杀人难道只为了要找个可以栖身之地？"

高立摇摇头。

他说不出，也许只因为他自己也不忍说出来，他杀人只为了要使自己有种安全的感觉，只为了要保护自己，他杀人只因为他觉得世上大多数的人都亏负了他。

小武忽然长长叹了口气，道："幸好我总算还有个地方可去。"

高立道："什么地方？"

小武道："有酒的地方。"

你若认为酒只不过是种可以令人快乐的液体，你就错了。你若问我，酒是什么呢？

那么我告诉你：酒是种壳子，就像是蜗牛背上的壳子，可以让你逃避进去。

那么，就算有别人要一脚踩下来，你也看不见了。

02

这地方不但有酒，还有女人。

酒是好酒，女人也相当漂亮，至少在灯光下看来相当漂亮。

“这地方你来过没有？”

“没有。”

“我也没有。”

他们彼此问清楚了才进去，因为只有在他们都没有来过的地方才是比较安全的。

“既然我们都没有来过，他们总不会很快找到这里来。”

“但这些女人却好像认得你。”

小武笑了，道：“她们认得的不是我，是我的银子。”

他一走进来，就将一大锭银子放到桌上。

女人们已去张罗酒菜，重添脂粉：“今天不醉的是乌龟。”

高立迟疑着，终于忍不住问道：“这里的酒贵不贵？”

小武突然怔住。

他实在觉得很吃惊，这种话本不是高立这种人应该问出来的。

像他们这种流浪在天涯，随时以生命作赌注的浪子，几乎每个人都将钱财看得比粪土还轻。

“七月十五”的管理虽严，但杀人也并不是完全没有代价的，而且代价通常都很高。

所以他们每次行动后，都可以尽情去发泄两三天——花钱的本身就是种发泄。

这也是组织允许的。

但小武忽然想起，高立几乎从没有出去痛醉狂欢过一次。

难道他竟是个视钱如命的人?

高立当然已看出他在想什么，忽然笑了笑，道:“这地方的酒若太贵，就只有让你请我，你若不愿请我，我也可以在旁边看你一个人喝。”

小武道:“你没有银子？”

高立道:“我有。”

小武道:“既然有，为什么不花？”

高立道:“因为我是个小气鬼。”

小武忍不住笑了，道:“但你却跟别的小气鬼不同。”

高立道:“有什么不同？”

小武笑道:“你至少肯承认自己小气，就凭这一点，我就该请你。”

高立也笑了，道:“我跟别的小气鬼还有点不同。”

小武道:“哦？”

高立道:“我还是个酒鬼。”

这世上小气的酒鬼的确很少见，但高立却的确是个酒鬼，他喝起酒来简直就像是一匹马。

“不花钱的酒，喝起来总是特别痛快的。”

“花钱的酒呢？”

“我很少喝。”

“我忽然发觉你这人很坦白。”

“除此之外，我别的好处并不多。”

小武大笑，高立也大笑，因为两个人这时都已有些醉了。

这是不是因为他们的脸上虽在笑，但心里却笑不出来。

刚才本来有五六个女人在陪他们，现在却已只剩下两个。

最老最丑的两个。

喝醉酒的男人，本就不太受女人欢迎的，何况她们已渐渐发现，这两人中一个很小气，另一个也并不太阔。

“冰冰呢？刚才有个叫冰冰的呢？”

“她出去了，有位老客人来找她。”

老客人的意思通常就是好客人，好客人的意思通常就是阔客人。

“还有个香娃呢？”

“也在陪客。”

“啪”地一拍桌子，桌上的酒壶也翻了。

“陪客？我们难道不是客人？”

“啵”地，酒杯也摔在地上，摔得粉碎。

忽然间，门口出现了三四个歪戴着帽子，半敞着衣襟的彪形大汉，瞪着他们。

他们一个穿着道士的蓝袍，一个穿着苦力的破衣，当然不是好客人，也不是阔客人。

这种客人多一个不算多，少一个不算少。

大汉们冷笑：“两位是来喝酒的？还是来打架的？”

小武看看高立，高立看看小武。

两个突又大笑。

大笑声中，“哗啦啦”一阵响，桌子已翻了。

女人们惊呼着逃出去，大汉们怒喝着冲进来——当然很快就倒下。

他们虽然没练过少林的百步神拳，但拳头还是比这些歪戴帽子的仁兄硬得多。

两个人指东打西，指南打北，打得这地方鸡飞蛋破，一塌糊涂。

然后他们就落荒而逃。

其实后面根本就没有人追他们，但他们却还是逃得很快。

他们觉得跑起来也很过瘾。

逃着逃着，忽然逃入了一条死巷，两个人就停下来，开始笑，笑出了眼泪，笑得弯下了腰。

谁也说不出他们为什么如此好笑，连他们自己也说不出，也不知笑了多久，突然间就不笑了。

小武看看高立，高立看看小武。

两个人忽然觉得想哭。

你们这些没有根的浪子们，有谁能了解你们的情感，谁能知道你们的痛苦？

除了偶然在窑子里痛醉一场，你们还有什么别的发泄？

幸好你们想笑的时候还能笑，想哭的时候还能哭。

所以你们还活着。

03

夜已很深。

高立已躺了下去，就在死巷中的阴沟旁躺了下去。

天上繁星灿烂。

星光映在他眼睛里，他眼睛好黑、好深。

小武倚着墙，看着他，脸上的表情也不知是同情？还是怜悯？

也不知是在怜悯别人？还是怜悯自己。

他忽然笑了笑，道："我有个秘密告诉你，你想不想听？"

高立道："想。"

小武目光移向远方，缓缓道："现在我也没地方可去了。"

他还在笑，但笑得就像是这冷巷中的夜色同样凄凉。

也许不笑反而好些。

看见这种笑，高立只觉得仿佛有双看不见的手，在用力拧绞着他的心、他的眼睛，想将他的眼泪和苦水一起拧出来。

无家可归，无处可去。

对他说来，这也不是秘密。

他忽然也笑了笑，道："你说的这秘密一点也不好听。"

小武道："你难道有比较好听的秘密？"

高立笑道："只有一个。"

他笑得也有些凄凉，却又有些神秘。

小武立刻追问道："你为什么不说？"

高立道："我说出来怕你吓一跳。"

小武道："你放心，我胆子一向不小。"

高立道："你真想听？"

小武道："真想。"

高立道："好，我告诉你，我有个女人。"

小武好像真的吃了一惊，道："你有个女人？什么样的女人？"

高立道："当然是个好女人。"

好女人的意思，通常就是不要钱的女人。

小武忍不住笑道："她长得怎么样？"

高立凝视着天上的繁星，目光忽然变得说不出的温柔，就仿佛已经将天上的星光，当作她的眼睛。

小武看着他脸上的表情，又忍不住问道："她是不是很美？"

高立终于点了点头，柔声道："我保证你绝没有看过像她那么美的女人。"

小武故意摇了摇头，道："我不信。"

高立又笑了，道："你当然不信，因为你想激我带你去看她。"

小武也笑了，道："原来你也很聪明。"

高立忽然跳起来，一把揪住他的衣襟，道："可是我警告你，你对她只要有一点点无礼，我就跟你拼命。"

他们的精神突然振奋起来，因为他们总算又找到一个地方可去。

一个奇妙的地方，一个奇妙的人。

04

清泉。

清泉在四面青山合抱中。

绿水从青山上倒挂下来，在这里汇集成一个水晶般的水池。

天是蓝的，云是白的，苍白的脸上却似已泛出了红光。

小武深深吸着木叶的芬芳，清水的清香，不知不觉间似已有些痴了。

高立看着他的脸，忽然道："跳下去。"

小武笑了，道："我还不想自杀，跳下去干什么？"

高立道："洗洗你的衣裳，也洗洗你自己，我不想让她嗅到你身上的酒臭和血腥。"

他自己先张开双臂跳了下去。

小武看着他搁在池畔的银枪，心里叹息，酒臭可以洗清，血腥却是永远也洗不掉的。

他忍不住道："你为何不洗洗这柄枪？"

高立道："枪比人干净。"

小武道："枪上没有血腥？"

高立道："没有，是人在杀人，不是枪。"

他忽然一头钻入水底。

小武也慢慢地解下剑，搁在山石上，只觉得嘴里又酸又苦。

是人在杀人，不是剑，也不是枪。

人为什么总是要杀人呢？

他也一头跳入水里。

鱼的世界，也比人的世界干净。

泉水清澈冰冷。

高立抱着块大石头，坐在水底，小武也学他抱起块石头坐在水底。

他们虽然也知道在这里无论谁都坐不长，但只要能逃避片刻，也是好的。

这里实在很美、很静。

看着各式各样的鱼虾在自己面前悠闲地游过去，看着水草在砂石间袅娜起舞，这种感觉绝不是未曾经历此境的人，所能领略得到的。只可惜他们不能像鱼一样在水中呼吸。

两个人对望了一眼，知道彼此都已支持不住了，正想一起钻上去。

就在这时，他们看见水里垂下了两根钓丝。

钓钩上没有鱼饵，但却系着一柄剑鞘，一卷红缨。

小武剑上的鞘，高立枪上的红缨。

这就是他们的饵。

难道他们要钓的鱼，就是小武和高立?

两个人的脚一蹬，已同时向后面蹿出两丈，小武指指自己的脚。

高立就游过来，托住他的脚，用力向上一托。

小武的人就旗花火箭般蹿了出去。

水花四溅。

小武已经蹿出水面一丈，长长呼吸，突然伸手抄住了一根横出水面的树枝，将整个人吊在树枝上。

池畔竟没有人。

两根钓竿用石头压在池畔。

大石头上还有块小石头，小石头上压着有一张纸。

本来在石头上的枪和剑却已赫然不见了!

小武的脸又变得苍白如纸。

这时高立的头已悄悄在岸边伸出来，四下看了一眼，也不禁变色。

“没有人？”

“没有。”

纸上写着什么?

两个又对望了一眼，一左一右，包抄过去。

四下静静的全无动静，风中还是流动着木叶的芬芳，水的清香。

天地间还是如此美丽幽静。

只有像他们这种随时都在以生命冒险的人，才能感觉那种潜伏在安详平静中的杀机。

只有看不见的危险，才是真正的危险。

他们终于走到那块石头旁，小武将石块弹出，高立拈起了那张纸。

纸也是湿的，上面的字迹也已模糊不清，仿佛写的是：

“小心……”

他们只看出了这两个字，山壁上就有块巨石炮弹般向他们打下来，他们当然可以向旁边闪避，但他们没有。

多年来，他们已玩惯了多种危险的把戏，但这种把戏并不危险。

只要是个反应比较快的人，就可以把这块石块闪避开。

“七月十五”当然不会真的认为这种把戏就可以杀得了他们。

多年来出生入死的经验，已使他们感觉到这把戏后面，必定还藏着更危险可怕的阴谋。

所以巨石打下来，他们非但没有向两旁闪避，反而迎了上去，在间不容发的一刹那间，从迎面落下的巨石旁边蹿了上去，蹿上了三丈。

他们的手立刻抓住了山壁上的藤枝。

然后他们就立刻听到一声天崩地裂般的大震。

“七月十五”想必已将从“霹雳堂”买来的那批火药，全都绑在这块巨石上。

他们若是向两旁闪避，此刻纵然还没有被炸成碎片，也得被爆炸出的碎石打得稀烂。

但他们现在还是完整的，这并不是侥幸，也不是运气。

震声中，他们非但没有扭头向下，甚至连身子都没有停顿，抓住藤枝的手一用力，脚尖向山壁上一蹬，人又接着向上蹿出。

山壁峭立，高十余丈。

他们接连三个起落，已蹿了上去，爆炸的声音还在山谷中回响，碎石也刚刚像雨点般落入池水里。

山壁上是个平台般的斜坡，三个人正探着头向下看，其中一个人正是丁干。

他发现小武和高立忽然出现在山壁上时，脸上的表情，就好像忽然被人掴了一巴掌。

高立冷冷地看着他。

小武却笑了笑，说道："想不到你居然还没有死。"

丁干深深呼吸一次，神色也恢复冷静，冷冷道："想不到你们居然也没有死。"

小武道："就凭你们三个人，要杀我们只怕还不容易。"

丁干铁青着脸，不能不承认。

小武道："但我们若要杀你呢？你看容易不容易？"

丁干道："你们为什么要杀我？"

小武道："因为你要杀我们。"

丁干道："你们自己知道，要杀你们的并不是我。"

小武点点头，也不能不承认。

丁干道："杀人既然是我们的职业，我们就不能无缘无故杀人。"

小武道："的确不能。"

他转脸去看丁干旁边的两个人。

这两人脸色蜡黄，满面病容，一双手却黝黑如铁。

小武道："想不到鹰爪队下的杀手，居然也加入了七月十五。"

这人冷笑道："阁下好眼力。"

小武道："这一次想必是两位第一次出手，当然不肯空手而回了。"

丁干道："他们本就不会空手而回的。"

他一双手本来抱在胸前，现在还是没有动。

但忽然间，两柄弯刀已割入了这两人的咽喉，割得很深。

没有惊呼，也没有挣扎，两个人忽然像是两块木头似的跌下山壁。

丁干这才拍了拍手，淡淡道："因为他们根本就回不去。"

高立看着他，脸上全无表情。

小武道："他们一死，你就可以回去了。"

丁干道："杀了你们，我也可以回去，但杀他们比杀你们容易。"

小武道："他们至少不会防备你。"

丁干道："所以我选对了。"

小武道："他们却选错了。"

丁干道："哦。"

小武道："他们本来不该跟你来的。"

丁干道："我还要活下去。"

小武道："你能活得下去。"

丁干道："他们既已死了，就没有人知道在这里发生过什么事。"

小武道："所以你回去之后，随便怎么说都已没关系。"

丁干道："不错，我早已说过，绝不会无缘无故杀人的。"

小武道："你怎知我们会放你走？"

丁干道："因为你们杀了我，也没好处。"

小武道："哦？"

丁干道："我既已杀了他们两个，当然我绝不会再泄露你们的行踪，否则'七月十五'也一样饶不了我。"

小武道："不杀你又有什么好处？"

丁干道："我可以替你们将这两人毁尸灭迹，也可以回去说，你们根本没走这条路。"

小武道："你想得倒很周到。"

丁干道："干这行我已干了十年，若是想得不周到，怎么还能活着？"

他死灰色的眼睛里，竟似也露出一丝凄凉悲痛之色。

世上有很多人都在活着，但大多数人都不满足，有些人想要更多的财富，有些人想要更多的权力。

可是在他们这些人说来，只要能活着，就已不容易。

小武叹息了一声，道："只为了要活着，你什么事都肯做？"

丁干惊惶地点了点头，道："是的，我什么都肯做。"

小武道："好，我放你走。"

丁干一句话都不再说，掉头就走。

小武笑笑道："等一等。"

丁干就等。

小武道："你知不知道我为什么让你走？"

丁干摇摇头。

小武道："只因为你现在已不是个活人，你已经早就死了。"

丁干已走了，高立像石头般站着，动也不动。

然后他突然弯下腰来呕吐。

小武看着他，等他吐完了，才叹了口气，道："你是不是怕自己以后也会变得跟他一样？"

高立脸上还带着痛苦之色，道："也许我现在已经跟他一样。"

小武道："你不同。"

高立道："但我若在这种情况下，说不定也会这么样做。"

他用力握紧双拳，一字字道："因为我也要活下去，非活下去不可。"

小武道："你怕死？"

高立道："我不怕死，可是我要活着。"

小武道："为了你那个女人活着？"

高立突然转过头，去看天上的白云。

小武看不见他的脸，但却可以看见他的手在发抖。

过了很久之后，高立才长长叹息了一声，道："我想不到他们居然会追到这里来，而且这么快就追来了。"

小武道："你以前没有到这里来过？"

高立道："我来过，双双就住在这附近。"

小武道："双双？"

高立道："双双就是我的女人。"

小武道："你既已来过，这次就不该来的。"

高立道："我非来不可。"

小武道："他们说不定也已知道双双的家在什么地方。"

高立道："也许。"

小武道："他们说不定已在那里布下了陷阱，正在等着你去。"

高立道："也许。"

小武道："可是你还是要去？"

高立道："一定要去。"

小武道："明知是陷阱也要跳下去？"

高立道："更要跳下去。"

小武道："为什么？"

高立道："因为我不能让双双一个人留在陷阱里。"

小武不说话了，已不能再说。

他忽然发觉这冷漠无情的刽子手，对双双竟有种令人完全想不到的感情。

她当然是个值得他这么做的女人。

高立忽然转过头，凝视着他，道：“我去，你可以不必去。”

小武点点头，道：“我的确可以不必去。”

高立拍了拍他的肩，也不再说什么——也不能再说什么。

可是他走的时候，小武却在后面跟着。

他眼睛亮了，却故意板着脸，道：“你不必去，为什么又要去？”

小武笑了笑，道：“我虽然不喜欢一个人往陷阱里跳，但若有朋友陪着，随便往哪里跳那就都没关系了。”

第三章

双 双

01

又是黄昏。

远山在夕阳中由翠绿变为青灰，泉水流到这里，也渐渐慢了。

风的气息却更芬芳，因为鲜花就开在山坡上，五色缤纷的鲜花，静悄悄地拥抱着一户人家。

小桥、流水，这小小的人家就在流水前，山坡下。

院子里也种着花。

一个白发苍苍、身材魁伟高大的老人，正在院子里劈柴。

他只有一只手。

但是他这只手却十分灵敏、十分有力。

他用脚尖踢过木头，一挥手，巨斧轻轻落下，“咔嚓”一响，木头就分成两半。

他的眸子就像是远山一样，是青灰色的，遥远、冷淡。

也许只有经历过无数年丰富生活的人，眼睛才会如此遥远，如此冷淡。

小武和高立走了进来。

他们的脚步很轻，但老人还是立刻回头。

他看见了高立。

但是他眸子里还是全无表情，只是静静地站在那里，直到高立走过去，他就慢慢地放下斧头。

然后他突然跪下去，向高立跪下去，就像奴才看见了主人那么样跪下去。

但是他脸上还是全无表情，也没有说一个字。

高立也没有说一个字，只是拍了拍他的肩，两个人就像是在扮演一出无声的哑剧，只可惜谁也不知道剧中的含意。

小武也只有木头人般站在那里，幸好就在这时，屋子里传出了声音。

是温柔而妩媚的声音，是少女的声音。

双双。

她在屋子里柔声轻哼："我知道一定是你回来，我知道。"

声音里充满了一种无法描述的欢喜和柔情。

高立听到了这声音，眼睛里也立刻露出一种无法描述的柔情和欢喜。

小武几乎看得痴了。

他忽然发觉自己也说不出有多么想看看这个女人。

"她当然是值得男人为她做任何事的。"

老人又回过头，开始劈柴，"咔嚓"一声，一块柴又被劈成两半。

她并没有出来。

小武已跟着高立走进了屋子。

他忽然发觉自己的心跳得好像比平时快。

“她究竟是个怎么样的女人？究竟有多美？”

客厅里打扫得很干净，明窗净几，一尘不染。

旁边有扇小门，门上垂着竹帘。

她声音又从门里传出来。

“你带了客人回来？”

她居然能听出他们的脚步声。

高立的声音也变得非常温柔：“不是客人，是个好朋友。”

“那么你为什么不请他进来？”

高立拍了拍小武的肩，微笑着道：“她要我们进去，我们就进去。”

小武道：“是，我们进去。”

这句话说得毫无意义，因为他心里正在想着别的事。

然后他就跟着高立走了进去。

然后他们所有的思想立刻全都停止，甚至连心跳都已停止。

他终于看见了双双——这第一眼的印象，他确信自己永生都难以忘记。

双双斜倚在床上，一双手拉着薄薄的被单，比被单还白，白得似已接近透明。

她的手臂细而纤弱，就像是个孩子，甚至比孩子还要瘦小。

她的眼睛很大，但却灰蒙蒙的全无光彩。

她的脸更奇怪。

没有人能形容出她的脸是什么模样，甚至没有人能想象。

那并不是丑陋，也没有残缺，却像是一个拙劣工匠所制造出的美人面具，一个做得扭曲变了形的美人面具。

这个可以令高立不惜为她牺牲一切的美人，不但是个发育不全的畸形儿，而且还是个瞎子。

屋子里摆满了鲜花，堆满了各式各样制作精巧的木偶和玩具。

精巧的东西，当然都是昂贵的。

花刚摘下，鲜艳而芬芳，更衬得这屋子的主人可怜而又可笑。

但是她自己的脸上，却完全没有自怜自卑的神色，反而充满了欢乐和自信。

这种表情竟正和一个真正的美人完全一样，因为她知道世上所有的男人都在偷偷地仰慕她。

小武完全怔住。

高立却已张起双臂，迎了上去，轻轻搂住了她，柔声道："我的美人，我的公主，你知不知道我想你已经想得快疯了。"

这种话简直说得肉麻已极，几乎肉麻得令人要作呕。

但双双脸上的光辉却更明亮了，抬起小手，轻轻拍着他的脸。

看她对他的态度，就好像拿他当作个孩子。

高立也好像真的变成了个孩子，好像这世上再也没有比挨她打更愉快的事。

双双吃吃笑道："你这个小扯谎精，你若真想我，为什么不早点回来？"

高立故意叹了口气，道："我当然也想早点回来，可惜我还想多赚点钱，回来给我的小公主买好东西吃，好东西玩呀。"

双双道："真的？"

高立道："当然是真的，你要不要我把心挖出来给你？"

双双又笑了，道："我还以为你被外面的野女人迷晕了头哩。"

高立叫了起来，道："我会在外面找野女人？世上还有哪个女人能比得上我的小公主。"

双双笑得更愉快，却故意摇着头，道："我不信，外面一定还有比我更漂亮的女人。"

高立断然道："没有，绝对没有。"

他眨了眨眼，忽又接着道："我本来听说皇城里也有个公主很美，但后来我自己一看，才知道她连你一半都比不上。"

双双静静地听着，甜甜地笑着，忽然在他脸上亲了亲。

高立立刻就好像开心得要晕倒。

一个昂藏七尺的男子汉，一个畸形的小瞎子，两个人居然在一起打情骂俏，肉麻当有趣。

这种情况非但可笑，简直滑稽。

但小武心里却连一点可笑的意思都没有，反而觉得心里又酸又苦。

他只觉得想哭。

高立已从身上解下一条陈旧的皮褡裢，倒出了二三十锭金子，倒在床上。

他拉着双双的小手，轻抚着这些金子，脸上的表情又得意、又骄傲，道："这都是我这几个月赚的，又可以替我们的小公主买好多好东西了。"

双双道："真是你赚来的？"

高立大声道："当然，为了你，我绝不会去偷，更不会去抢。"

双双的神色更温柔，抬起手，轻抚着他的脸，柔声道："我有了你这么样一个男人，我真高兴，我真为你而骄傲。"

高立凝视着她，苍白、憔悴、冷漠的脸上，忽然也露出种说不出的欢愉幸福之色，在外面所受的委屈和打击，现在早已全都忘得干干净净了。

小武从未看过他这种表情，也从未想到会在他脸上看见这种表情。

到了这里，他就好像完全变成了另外一个人。

双双虽然看不见他脸上的表情，但显然也已感觉得到。

所以她自己也是完全幸福而满足的。

你能说他们不配么？

小武忽然也觉得她很美了。

一个女人只要能使她的男人幸福欢愉，其他纵然有些缺陷，又能算得了什么？

也不知过了多久，双双突然红起脸一笑，道："你不是说你带了个朋友回来吗？"

高立也笑了，道："你看，我一看见你，立刻就晕了头，连朋友都忘了。"

他拉过小武，道："我来替你们引见，这是我朋友小武，这就是我的公主。"

双双抿着嘴笑道："你在别人面前也这么说，不怕别人笑话。"

高立道："他怎么会笑话我们，这小子现在一定嫉妒我嫉妒得要命。"

他看着小武，目中充满了祈求之色。

小武叹了口气，道："你总是在我面前说，你的小公主是世上第一的美人，现在我才知道你是个骗人精。"

高立脸色立刻变了，拼命挤眼睛，道："我哪点骗了你？"

小武道："世上哪有像她这样的美人？她简直是天上的仙子。"

高立笑了。

双双也笑了。

小武用拳头轻打高立的肩，笑道："老实说，我真羡慕你这混小子，你哪点配得上她。"

高立故意叹了口气，道："老实说，我实在配不上她，只可惜她偏偏要喜欢我。"

双双吃吃笑道："你们看这个人，脸皮怎么愈来愈厚了。"

高立道："我是跟这小子学的。"

三个人同时大笑，小武忽然也发觉，自己从来没有这么样开心过。

双双睡得很早，吃完了饭，是高立扶她上床的，还替她盖好了被。

她就像是个被宠坏了的孩子，样样事都需要别人照顾。

可是她却能给人一种说不出的快乐。

现在星已升起。

高立和小武铺了张草席在花丛间，静静地躺在星空下。

夜凉如水。

星空遥远而辉煌。

小武忽然长长叹息了一声，道："你说得不错，她的确是个奇妙的女人。"

高立没有说话。

小武道："她的外貌也许并不美，可是她的心却很美，也许比世上大多数美人都美丽得多。"

高立还是没有说话。

小武道："我本来一直在奇怪，像你这样的人，为什么会是个小气鬼，现在我才明白了。"

他叹息着，接着道："为了她这样的女人，你无论怎么做都是值得的。"

高立忽然道："也许我并不是为了她。"

小武道："你不是？"

高立也叹了口气，道："我若说得冠冕堂皇些，当然可以说是为了她，可是我自己心里明白，我这么样为的是自己。”

小武道：“哦！”

高立道：“因为我只有在这里的时候，心里才会觉得平静快乐，所以……”

他慢慢地接着道：“我每隔一段时候，都一定要回来一次，住几天，否则我只怕早已倒了下去，早已发了疯。”

——人也像机械一样，每隔一段时候，都要回厂去保养保养，加加油的。

小武当然懂得这意思。

他沉默了很久，忽然又问道：“你怎么遇见她的？”

高立道：“她是个孤儿。”

小武道：“她的父母呢？”

高立道：“已经死了，在她十三岁的时候，就已经死了。”

他面上露出痛苦之色，接着道：“他们只有她一个女儿，为了怕她伤心，从小就说她是世上最美的女孩子，她……她自己当然也看不见自己。”

看不见自己并不重要，最重要的是，她也看不见别人。

就因为她看不见别人，所以才不能将自己跟别人比较。

小武长长叹息着，黯然道：“她生来是个瞎子，这本是她的不幸，但从这一点看，这反而是她的运气了。”

幸与不幸之间的距离，岂不本来就很微妙。

高立道：“有一次我受了很重的伤，无意间来到这里，那时她父母还没有死，他们为我疗伤，日日夜夜地照顾我，从没有盘问过我的来历，也从没有将我当作歹徒。”

小武道：“所以你以后就常常来？”

高立道：“那时开始我就已将这里当作我自己的家，到了年节时，无论我在哪里，总要想法子赶着回来的。”

小武道：“我了解你这种心情。”

他的脸上也露出了很奇怪的痛苦之色，这看来很开朗的少年，心里也有很多不可与外人道的痛苦和秘密。

高立道：“后来……后来她的父母死了，临终以前，将他们唯一的女儿交托给我，他们并不希望我娶她，只不过希望我能像妹妹般看待她。”

小武道：“可是你娶了她？”

高立道：“现在还没有，但以后——以后我一定会娶她的。”

小武道：“为了报恩？”

高立道：“不是。”

小武道：“你真的爱她？”

高立迟疑着，缓缓道：“我也不知道是不是真的喜欢她，我只知道……只知道她可以使我快乐，可以使我觉得自己还是个人。”

小武道：“那么你为什么还不赶快娶她？”

高立又沉默很久，忽然笑了笑，道：“你想不想喝我们的喜酒？”

小武道：“当然想！”

高立坐了起来，眼睛里忽然发出了光，道：“你肯不肯在这里多留几天？”

小武道：“反正我也已无处可去。”

高立用力拍了拍他的肩，道：“好，我一定请你喝喜酒。”

小武也跳了起来，用力拍他的肩，道：“我一定等着喝你的喜酒。”

高立道：“我明天就跟大象去准备。”

小武道：“大象？”

高立道：“大象就是刚才替我们烧饭的那个独臂老人。”

小武道：“他——他又是个怎么样的人呢？”

高立笑得很神秘，道：“你看呢？”

小武道：“我看他一定是个怪人，而且一定有段很不平凡的历史。”

高立道：“你看过他用斧头没有？”

小武道：“看过。”

高立道：“你觉得他手上的功夫如何？”

小武道：“好像并不在你我之下。”

高立道：“你眼光果然不错。”

小武道：“他究竟是谁？怎么会到这里来的？为什么对你特别尊敬？”

高立又笑了笑，道：“这些事你以后也许会慢慢知道的。”

小武道：“你现在为什么不告诉我？”

高立道：“因为我答应他，绝不将他的事告诉任何人。”

小武道：“可是我……”

这句话没有说完，他身子突然腾空而起，箭一般向山坡的一丛月季花里蹿了过去。

他的身法轻巧而优美，而且非常特殊。

花丛中仿佛有人低声道：“好轻功，果然不愧为名门之子。”

小武的脸色变了变，低叱问道：“阁下是什么人？”

喝声中，他已蹿入花丛，正是刚才那人声发出来的地方。

他没有看见任何人。

花丛里根本连个人影都没有！

星月在天，夜色深沉。

高立也赶了过来，皱眉道：“是不是七月十五的人又追到这里来了？”

小武道：“只怕不是。”

高立道："你怎么知道不是？"

小武没有回答。

他脸上的表情很奇怪，仿佛有些惊讶，又仿佛有些恐惧。

既然他算准不是那组织中的人追来，又为什么要恐惧？

高立虽然想不通，也没有再问。

他知道小武若是不愿说出一件事，无论谁也问不出的。

小武沉默了很久，忽又问道："大象呢？"

高立道："只怕已睡了。"

小武道："睡在哪里？"

高立道："你想找他？"

小武勉强笑了笑，道："我……我能不能去找他聊聊？"

高立也笑了笑，道："你难道看不出他是个很不喜欢聊天的人？"

小武目光闪动着，目中的神色更奇特，缓缓道："也许他喜欢跟我聊天呢。"

高立凝视着他，过了很久，终于点点头，道："也许这世上奇怪的事本就多得很。"

02

大象并没有睡。

他开门的时候，脚上还穿着鞋子，眼睛里也丝毫没有睡意。

没有睡意，也没有表情。

他无论看着什么人，都好像在看着一块木头。

高立笑了笑，道："你还没有睡？"

大象道："睡着的人不会开门。"

他说话很慢，很生硬，仿佛已很久没有说过话，已不习惯说话。

高立却显得很惊讶，仿佛也已有很久没有听到过他说话。

屋子里很简陋，除了生活上必需之物外，什么别的东西都没有。

他过的简直是种苦行僧的生活。

小武只觉得这里恰巧和双双的屋里成了极鲜明的对比，就像是两个完全不同的世界。

这魁伟、健壮、坚强、冷酷的独臂老人，也和双双是完全不同的两个人。

若没有非常特别的原因，这么样两个人是绝不会生活在一起的。

大象已经拉开张用木板钉成的凳子，说道："坐。"

屋里一共只有这么样一张凳子，所以小武和高立都没有坐。

小武站在门口，眼睛直勾勾地看着这老人，忽然道："你以前见过我？"

大象摇摇头。

小武道："可是你认得我。"

大象又摇摇头。

高立看着他，又看看小武，笑道："他既未见过你，怎么会认得你？"

小武道："因为他认得我的轻功身法。"

高立道："你的轻功身法难道和别人有什么不同？"

小武道："有。"

高立道："我怎么看不出？"

小武道："因为你年纪太轻。"

高立道："你难道已经很老了？"

小武笑了笑，只笑了笑。

高立又问道："就算你轻功身法和别人不同，他也没看过。"

小武道：“他看过。”

高立道：“几时看过的？”

小武道：“刚才。”

高立道：“刚才？”

小武又笑了笑，什么话都没有说，眼睛却在看着大象脚上的鞋子。

鞋子上的泥还没有干透。

最近的天气一直很好，只有花畦中的泥是湿的，因为每天黄昏后，大象都去浇花。

但若是黄昏时踩到的泥，现在就应该早已干透了。

高立并不是反应迟钝的人，立刻明白刚才躲在月季花丛中的人就是他。

“是你？”

大象并没有否认。

高立道：“你真的认得他？”

大象也没有否认。

高立道：“他是谁？你怎么认得他的。”

大象没有直接回答这句话，却转过头，冷冷地看着小武，道：“你为什么还不回去？”

小武脸色仿佛又变了变，道：“回去？回到哪里去？”

大象道：“回你的家。”

小武并没有问：“你怎么知道我家在哪里？”他反而问：“我为什么要回去？”

大象道：“因为你非回去不可。”

小武又问了一句：“为什么？”

大象道：“因为你的父亲只有你这么样一个儿子。”

小武身子突然僵硬，就像是突然被一根钉子钉在地上。

他眼睛盯着这老人，过了很久，才一字字道：“你不是大象。”

高立悠然说道：“他当然不是大象，他是一个人。”

小武不理他，还是盯着这老人，道：“你是邯郸金开甲。”

老人面上还是全无表情。

高立却已忍不住失声道：“金开甲？‘大雷神’金开甲？”

小武道：“不错！”

他淡淡地笑了笑，接着道：“你刚才不肯告诉我他的来历，只因为你根本也不知道他是谁。”

高立叹了口气，苦笑道：“我的确不知道他就是大雷神。”

小武道：“除了金老前辈外，普天之下，还有谁能将斧头运用得那么巧妙？”

金开甲突然冷冷地说道：“只可惜你年纪也太轻了，还没有见过二十年前的‘风雷神斧’是个什么样子。”

小武道：“可是我听说过。”

金开甲道：“你当然听说过，有耳朵的人都听说过。”

他脸上虽然还是全无表情，言辞间却已显露出一种慑人的霸气。

小武淡淡道：“但是我却没有想到过，叱咤风云，不可一世的大雷神，竟会躲在这里替人家劈柴。”

这句话里仿佛有刺。

金开甲脸上突然起了种奇异的变化，也像是突然被根钉子钉住。

过了很久，他才一字字缓缓道：“那当然要多谢你们家的人。”

这句话里仿佛有刺。

小武道：“你只怕也从来没有想到，居然会在这里看见我。”

金开甲道：“的确没有。”

小武冷笑道：“就在十年前，大雷神还号称天下武功第一，今天见了我，为什么不杀了我？”

金开甲道：“我不杀你。”

小武道：“为什么？”

金开甲道：“因为你是我救命恩人的朋友。”

小武道：“谁是你的救命恩人？”

高立突然道：“我。”

小武很惊奇，道：“你？你救了大雷神？”

高立苦笑道：“我并没有想到我救的是天下第一武林高手。”

金开甲冷冷道：“那时我已不是天下第一武林高手，否则又怎么被那几个竖子所欺。”

他冷漠的眼睛里突又露出一丝愤怒之色，过了很久，才接着道：“自从泰山一役，伤在你父亲手里之后，我就已不再是天下武林第一高手。”

小武道：“他破了你的‘重楼飞血’？”

金开甲道：“没有，没有人能够破得了重楼飞血。”

小武道：“他虽然断了你一只手，但你还剩下一只右手。”

金开甲冷笑道：“你毕竟年纪太轻，竟不知大雷神用的是左手斧。”

小武怔住。

过了很久，他突又问道：“你在这里天天劈柴，为的就是要练右手斧？”

金开甲道：“你不笨。”

小武道：“你已练了多久？”

金开甲道：“五年。”

小武道：“现在你右手是否已能和左手同样灵巧？”

金开甲闭上嘴，拒绝回答。

没人会将自己武功的虚实，告诉自己仇家的。

高立叹了口气，道："难怪你冬天劈柴，夏天也劈柴，现在我总算明白了！"

他转向小武，笑了笑，道："现在我总算也知道你是谁。"

小武道："哦！"

高立道："你不是姓武，你是姓秋，叫作秋凤梧。"

小武也笑了笑，道："想不到你居然知道我名字。"

高立道："昔年'孔雀山庄'秋老庄主，在泰山绝顶决斗天下第一高手大雷神，这一战连没有耳朵的人只怕都听说过。"

秋凤梧也不禁叹息，道："那一战当真可算是惊天地而泣鬼神。"

高立微笑道："所以孔雀山庄庄主的名字，我当然也听说过。"

秋凤梧凝视着他，道："秋凤梧也好，小武也好，反正都是你的朋友。"

高立道："当然是。"

秋凤梧道："而且永远都是。"他忽然转向金开甲，道，"但我们并不是朋友，现在不是，以后也不是。"

金开甲道："当然不是。"

秋凤梧道："所以你若要找孔雀山庄复仇，随时都可以向我出手。"

金开甲冷冷地道："我为什么要找孔雀山庄复仇？"

秋凤梧道："你不想报复？"

金开甲道："不想。"

秋凤梧道："为什么？"

金开甲道："那一战本是公平决斗，生死俱无怨言，何况我不过断了一只手。"

他忽然长叹了一声，慢慢地接着道："秋老头本可要我命的，但他

却只要了我一只手，我若一定要报复，是报恩，不是报仇。”

秋凤梧看着他，仿佛很惊讶，又仿佛很佩服，终于长叹了一声，道：“难怪家父常说，大雷神是条了不起的男子汉，胜就是胜，败就败，就凭这一点，江湖中已没有几个人能比得上。”

金开甲冷冷地道：“的确没有几个人能够比得上。”

秋凤梧道：“家父虽然胜了前辈，但大雷神却还是天下第一高手。”

金开甲道：“不是。”

秋凤梧道：“是，因为家父并不是以武功胜了前辈，而是用暗器。”

金开甲沉下了脸，厉声道：“暗器难道不是武功？——你难道看不起暗器？”

秋凤梧道：“我……”

金开甲道：“刀剑是武器，暗器也是武器，我用风雷斧，他用孔雀翎，他能避开我的风雷斧，我避不开他的孔雀翎，就是他胜了，无论谁也不能说他胜得不公平，你更不能。”

秋凤梧垂下头，脸上却反而现出神采，道：“是，是我错了。”

金开甲道：“你知道错了，就该快回去。”

秋凤梧道：“我现在还不能回去。”

金开甲道：“为什么？”

秋凤梧笑了笑道：“因为我还等着要喝高立的喜酒。”

酒在桌上。

每个人在心情激动之后，好像都喜欢找杯酒喝喝。

秋凤梧举杯叹道：“英雄毕竟是英雄，好像永远都不会老的，我实在想不到大雷神直到今日还有那种顶天立地的豪气。”

高立叹道：“但这些年来，他日子的确过得太苦，我几乎从未看见他笑过。”

秋凤梧笑道：“但他想到你要请我们喝喜酒时，他却笑了。”

高立道：“所以这喜酒我更非请不可。”

秋凤梧道：“我也非喝不可。”

高立笑道：“世上可有几个人能请到大雷神和孔雀山庄的少庄主来喝他的喜酒。”

秋凤梧举杯一饮而尽，突然重重放下酒杯，道：“我不是孔雀山庄的少庄主。”

高立愕然道：“你不是？”

秋凤梧道：“我不是，因为我不配。”

他又满倾一杯，长叹道：“我只配做杀人组织中的刽子手。”

高立叹了口气，道：“我实在也想不通，你怎么会入‘七月十五’的？”

秋凤梧凝视着手里的酒杯，缓缓道：“因为我看不起孔雀翎，看不起以暗器博来的名声，我不愿一辈子活在孔雀翎的阴影里，就像是个躲在母亲裙下的小孩子，没出息的小孩子。”

高立道：“所以你想要凭你自己的本事，博你自己的名声。”

秋凤梧点点头，苦笑道：“因为我发现江湖中尊敬孔雀山庄，并不是尊敬我们的人，而是尊敬我们的暗器，若没有孔雀翎，我们秋家的人好像就不值一文。”

高立道：“没有人这么想。”

秋凤梧道：“但我却不能不这么样想，我加入‘七月十五’，本是为了要彻底瓦解这组织，我一直在等机会。”

他又叹息一声，道：“但我后来才发现，纵然能瓦解‘七月十五’也没有用。”

高立道："为什么？"

秋凤梧道："因为'七月十五'这组织本身，也只不过是个傀儡而已，幕后显然还有股神秘而强大的力量在支持它、指挥它。"

高立慢慢地点了点头，脸色也变得很沉重，道："你猜不出是谁在指挥它？"

秋凤梧目光闪动，道："你已猜出了？"

高立道："至少已猜中七成。"

秋凤梧道："是谁？"

高立迟疑着，终于慢慢地说出了三个字："青龙会。"

秋凤梧立刻用力拍桌子，道："不错，我猜也一定是青龙会。"

高立道："一年有三百六十五天。"

秋凤梧道："从正月初一到除夕，恰巧是三百六十五天。"

秋凤梧道："七月十五只不过是他们其中一个分舵而已。"

两人突然不说话了，脸色却更沉重。

"七月十五"组织之严密，手段之毒辣，力量之可怕，他们当然清楚得很。

但"七月十五"却只不过是青龙会三百六十五处分舵之一。

青龙会组织之强大可怕，也就可想而知。

秋凤梧终于长叹道："据说青龙老大曾经向人夸口，只要阳光能照得到的地方，就有青龙会的力量存在。"

高立道："他还说只要海未枯，石未烂，青龙会就不会毁灭。"

秋凤梧握紧双拳，道："只可惜我们连青龙老大是谁都不知道。"

高立道："没有人知道？"

03

双双起来得很早。

是高立扶她起床的，现在他们已到后面的山坡上摘花去了。

他们当然有很多话要说。昨天晚上，他们说话的机会并不多。

秋凤梧站在院子里，享受着这深山清晨中新鲜的风和阳光。

他本来很想去帮忙金开甲做早饭的，但却被赶了出来。

“出去，当我做事的时候，不喜欢有人在旁边看。”

看着这位叱咤一时的绝代高手拿着锅铲炒蛋，实在也并不是件愉快的事，那实在令人心里很不舒服。

但金开甲自己却丝毫没有这种感觉。

“我做这些事，只因为我喜欢做，做事可以使我的手灵巧。”

“武功本就是入世的，只要你肯用心，无论做什么事的时候，都一样可以锻炼你的武功。”

现在秋凤梧反复咀嚼着这几句话，就好像在嚼着枚橄榄，回味无穷。

他现在才明白金开甲为什么能成为天下武林第一高手。

早饭已经摆在桌上，他们正在等高立和双双回来。

金开甲又开始劈柴。

秋凤梧静静地在旁边看着，只觉他劈柴的动作说不出的纯熟优美。

武学的精义是什么？

只有四个字——专心、苦练。

其实这四个字也同样适于世上的每一件事。

无论你做什么，若要想出人头地，就只有专心、苦练。

“你可知道谁是自古以来，使用斧头的第一高手？”

“不知道。”

“鲁班。”

“他只不过是个巧手的工匠而已。”

“可是他每天都在用斧头，对于斧的性能和特质，没有人能比他知道得更多，斧已成为他身体的一部分，他用斧就好像运用手指一样灵活。”

熟，就能生巧。

这岂非也正是武学的精义。

秋凤梧长长叹息，只觉得金开甲说的这些话，甚至比一部武功秘籍还有价值。

这些话也绝不是那些终日坐在庙堂上的宗主大师们，所能说得出的。

阳光遍地，远山青翠。

一个满头白发的老太婆，左手拄着根拐杖，右手提着个青布包袱，沿着小溪踽踽独行，腰弯得就像是个虾米。

秋凤梧道：“这附近还有别的人家？”

金开甲道：“最近的也在三五里外。”

秋凤梧不再问了，老太婆却已经走到院子外，喘息着，赔着笑脸，道：“两位大爷要不要买几个鸡蛋？”

秋凤梧道：“鸡蛋新鲜不新鲜？”

老太婆笑道：“当然新鲜，不信大爷你摸摸，还是热的哩。”

她走进来，蹲在地上，解开青布包袱。

包袱里的鸡蛋果然又大又圆。

老太婆拾起了一枚，道："新鲜的蛋生吃最滋补，用开水冲着吃也……"

她的话还没有说完，突听"嗖"的一声，一根弩箭已穿入了老太婆的背。

老太婆的脸骤然扭曲，抬起来，似乎想将手里的蛋掷出，但人已倒了下去。

接着，就有条黑衣人影从山坳后蹿出，三五个起落，已掠入院子，什么话都不说，一把抄起了老太婆的鸡蛋，远远掷出，落入小溪。

只听"轰"的一声，溪水四溅。

黑衣人这才长长吐出口气，道："好险。"

秋凤梧脸色已变了，似已连话都说不出。

黑衣人转过脸向他勉强一笑，道："阁下已看出这老太婆是什么人了吗？"

秋凤梧摇摇头。

黑衣人压低声音，道："她就是'七月十五'派来行刺的。"

秋凤梧变色道："七月十五？阁下你……"

黑衣人道："我……"

他一个字刚说出，身子突也一阵扭曲，脸已变形，嘴角也流出鲜血。

血一流出来，就变成黑的。

金开甲脸色也变了，抛下斧头赶来。

黑衣人已倒下，两只手捧着肚子，挣扎着道："快……快，我身上的木瓶中有解药……"

金开甲正想过去拿，秋凤梧却一把拉住了他。

黑衣人的神情更痛苦，哽声道："求求你……快，快……再迟就来不及了。"

秋凤梧冷冷地看着他，冷冷道："解药在你身上，你自己为何不拿？"

金开甲怒道："你难道看不出他已不能动了，我们怎能见死不救？"

秋凤梧冷笑道："他死不了的。"

黑衣人的脸又一阵扭曲，突然箭一般从地上蹿起，扬手打出了七点乌星。

那老太婆竟也从地上跳了起来，一挥手，掷出了两枚鸡蛋。

秋凤梧没有闪避，反而迎了上去，两枚蛋忽然已到了他手里，滑入他衣袖。

老太婆凌空翻身，倒蹿而出，忽然发现秋凤梧已到了她面前。

她双拳齐出，双峰贯耳。

但秋凤梧的手掌却已自她双拳中穿过，她的拳头还未到，秋凤梧的手掌已拍在她胸膛上。

轻轻一拍。

老太婆的人就像是被这只手掌粘住，双臂刚刚垂下，人也不能动了。

然后她就听到一阵骨头断裂的声音。

金开甲用一条手臂挟住了那黑衣人，夹紧，放松，黑衣人忽然间就像是一堆泥般倒了下去，断裂的肋骨斜斜刺出，穿破了衣裳。

鲜血慢慢地在地上散开，慢慢地渗入地中。

金开甲凝视着，目光带着种深思之色，就仿佛这一生从未见人流血一样。

老太婆不停地颤抖。

也不知是因为秋凤梧这种奇特的掌力，还是因为那骨头碎裂的声音，她忽然恐惧得像是个刚从噩梦中惊醒的孩子。

秋凤梧一把揪住她苍苍白发，用力拉下来，带着她的脸皮一起拉了下来，就露出了另一张脸。

一张瘦小、蜡黄、畏怯，但却十分年轻的脸。

秋凤梧冷冷地看着他，道："你是新来的？"

这人点点头。

秋凤梧道："你知道我是谁？"

这人舔了舔发干的嘴唇，道："我……我听说过。"

秋凤梧道："那么你就该知道，我至少有三十种法子可以让你后悔为什么要生下来。"

这人勉强点了点头，脸上已无人色。

秋凤梧道："所以你最好还是说实话。"

这人道："我说……我说。"

秋凤梧道："你们来了几个人？"

这人道："六个。"

秋凤梧道："都是些什么人？"

这人道："我不知道，真的不知道。"

秋凤梧道："他们的人在哪里？"

这人道："就在山那边，等着我们……"

他的话还没有说完，突然又听见一阵骨头碎裂的声音。

他自己骨头碎裂的声音。

秋凤梧已转过身，没有再看一眼。

他杀人从不再多看一眼。

金开甲却还在凝视着地上的鲜血，突然道："我已有六年未曾杀过人。"

秋凤梧道："六年的确已不算短。"

金开甲道："我十三岁时开始杀人，直到今天，我才知道杀人是件令人作呕的事。"

秋凤梧叹了口气，道："只不过那还是比被杀好些。"

金开甲霍然抬起头，盯着他，道："你怎知他们是来杀你的？"

秋凤梧苦笑道："只因为我以前也做过跟他们一样的事。"

金开甲还想再问，已听到双双的声音："你以前做过什么事？"

双双倚着高立的肩，站在阳光下。

高立的脸色苍白而紧张，但双双脸上却带着比阳光还灿烂的笑容。

秋凤梧从未想到她看来也会变得如此美丽。

世上又还有什么比欢愉和自信更能使一个女人变得美丽呢？

秋凤梧正不知怎么回答她的话，双双却又在问："我刚才好像听见你们在说杀人？"

秋凤梧终于勉强笑了笑，道："我们刚才在说故事。"

双双嫣然问道："什么故事？我最喜欢听故事了。"

秋凤梧道："但这故事却不好听。"

双双道："为什么？"

秋凤梧道："因为这故事中，有人在杀人。"

双双脸上似也有了阵阴影，凄然道："为什么有些人总是要杀人呢？"

秋凤梧缓缓道："这也许只因为他们若不杀人，别人就要杀他们。"

双双慢慢地点了点头，神色更凄凉，忽又皱眉道："这里怎么有血腥气？"

金开甲道："我刚才杀了一只鸡。"

住在山林中的人，家家都有养鸡。

最愚蠢的人，也不会长途跋涉，拿鸡蛋到这种地方来卖的。

无论中了什么样的毒，从嘴角流出来的血也不可能立刻变成黑的，更不可能在毒发倒地时，还能将每个字都说得很清楚。

这并不是因为“七月十五”杀人的计划有欠周密。

这只因定计的人，从未到过这里偏僻的山林，只因来的这两个人，还是第一次参加杀人行动。

而他们遇着的，偏偏是经验丰富的老手。

何况这次行动到现在还没有完全失败。

后面还有四个人。

真正可怕的是这四个人。

04

饭总要吃的，秋凤梧反而吃得特别多。

这一顿吃过后，下一顿就不知道要等到什么时候才能吃了。

他希望高立也多吃些。

但高立却一直在看着双双，目中充满了忧虑之色。

他显然有很多话要问秋凤梧，却又不能在双双面前问出来。

饭桌上只有双双是愉快的。

知道得愈少，烦恼忧虑就愈少，所以有时无知反而是幸福的。

双双忽然道：“今天你们怎么不喝酒？”

秋凤梧勉强笑道：“只有真正的酒鬼，白天才喝酒。”

双双道：“你们还不是真正的酒鬼？”

秋凤梧道："幸好还不是。"

双双垂下头，忽又轻轻道："若是喜酒呢？"

秋凤梧心里好像突然被刺了一针。

喜酒，他们岂非本在等着喝高立的喜酒？

他抬起头，就发现高立的手在颤抖，一张脸已苍白如纸。

没有喜酒了。

什么都没有了。

只有血！也许是别人的血，也许是自己的血，流不尽的血。

你手上只要沾着一点血腥，这一生就永远要在血腥中打滚。

秋凤梧正在喝汤，只觉得这汤也又酸又腥，就好像血一样。

双双的脸上，却已泛起了红晕，幸福而羞涩的红晕。

她垂着头，轻轻道："刚才……刚才他已跟我说了，他说你们也都已知道。"

秋凤梧茫然道："我们都已知道。"

双双红着脸，嫣然道："我以为你们一定会恭喜我们的。"

秋凤梧道："恭喜恭喜。"

他只觉得嘴里满是苦水，吞也吞不下去，吐也吐不出。

他知道高立心里一定比他更苦。

双双道："既然有事值得恭喜，你们为什么不喝杯酒呢？"

高立忽然站起来，道："谁说我们不喝酒，我去拿酒去。"

双双嫣然道："今天我也想喝一点，我从来没有这么开心过。"

高立道："我也从来没有这么开心过。"

他虽已站起来，但身子却似已僵硬。

院子里的尸身还没有埋葬，正在阳光下逐渐干瘪萎缩。

追杀他们的人已经在路上，随时随刻都可能出现。

她平静幸福的生活，眼见就要毁灭，连生命都可能毁灭，可是她这一生从来没有这么开心过。

高立只觉得面颊冰冷，眼泪已沿着面颊，慢慢地流了下来……

秋凤梧实在不忍再看高立面上的表情，也不忍再看双双。

他生怕看了之后，自己也会哭。

金开甲一直扒着饭，一口一口咽下去，忽然放下筷子站起来道："我出去一趟。"

秋凤梧道："到哪里去？"其实他根本不必问的。

他当然知道金开甲是要去为他们挡住那些人。

金开甲道："我出去走走。"

秋凤梧道："我们一起去。"

双双道："你们要出去？酒还没有喝哩。"

秋凤梧勉强笑道："酒可以等我们回来再喝，我们去找些新鲜的竹笋来烧鸡。"

高立忽然笑了笑，淡淡道："你们不必去了，竹笋已在院子里。"

他的声音很平静，平静得出奇，平静得可怕。

秋凤梧回过头，一颗心也立刻沉了下去。

四个人已慢慢地走入了院子。

05

阳光灿烂，百花齐放。

多么好的天气。

第一个人慢慢地走进来，四面看了一眼，喃喃道："好地方，真是好地方。"

这人的脸很长，就像马的脸，脸上长满了一粒粒豌豆般的疙瘩，眼睛里布满血丝。

有些人天生就带着种凶相，他就是这种人。

院子里有个树桩。

他慢慢地坐下来，“锵”地，拔出了一柄沉重的鬼头刀。

他就用这把刀开始修他的指甲。

三十七斤重的鬼头刀，在他手里轻得就像是柳叶一样。

高立认得他，他叫毛战。

“七月十五”这组织中，杀人最多的就是他。

他每次杀人时都已接近疯狂，一看到血，就完全疯狂。

若不是因为他已到滇境去杀人，上次刺杀百里长青的行动，一定也有他。

第二个慢慢地走进来，也四面看了一眼，道：“好地方，能死在这地方真不错。”

这人的脸是惨青色的，看不见肉，鼻如鹰钩，眼睛也好像专吃死尸的兀鹰一样。

他手里提着柄丧门剑，剑光也像他的脸一样，闪着惨青色的光。

他看来并没有毛战凶恶，但却更阴沉——阴沉有时比凶恶更可怕。

院子里有棵榕树。

他一走进来，就在树荫下躺了下去，因为他一向最憎恶阳光。

高立不认得他，却认得他的剑。

“阴魂剑”麻锋。

“七月十五”早已在吸收这个人，而且花了不少代价，他当然是值得的。

他从不轻易杀人，甚至很少出手。

可是他要杀的人，都已进了棺材。

他杀人时从不愿有人在旁边看着，因为有时连他自己都觉得他用的法子太残酷。

“你若要杀一个人，就得要他变作鬼之后，都不敢找你报复。”

第三个人高大得已有些臃肿，但脚步很轻，比猫还轻。

高立当然也认得他，这人竟是丁干。

他慢慢地走了进来，四面看了一眼，悠然道：“好地方，真是个好地方，能在这地方等死，福气真不错。”

他也坐下来，用手里弯刀修胡子。

他跟毛战本是死党，一举一动都在有意无意间模仿着毛战。

若说他这人还有个朋友，就是毛战。

第四个看来很斯文，很和气，白白净净的脸，胡子修饰得干净而整齐。

他背负着双手，施施然走了进来，不但脸上带着微笑，眼睛也是笑眯眯的。他没有说话，身上也没有兵器，他看来就像是个特地来拜访朋友的秀才。

但高立和秋凤梧看见这个人，却忽然觉得有阵寒意自足底升起，好像这人远比毛战、麻锋、丁干加起来还要可怕很多。

因为他们认得他，他就是“七月十五”这组织的首领，“幽冥才子”西门玉。

高立在这组织已逾三年，但却从未见过西门玉亲自出手。

据说他杀人很慢，非常慢，据说他有一次杀一个人竟杀了两天，据说两天后这人断气时，谁也认不出他曾经是个人了。

但这些当然只不过是传说，相信的人并不多。

因为他实在太斯文、太秀气，而且文质彬彬，温柔有礼。

像这么样一个斯文人，怎么会杀人呢？

现在他还笑眯眯地站在院子里等，既不着急，也没有发脾气，好像就算要他再等三天三夜也没关系。

但高立和秋凤梧却知道现在他们已到了非出去不可的时候。

他们对望了一眼。

秋凤梧悄悄地从墙上摘下了他的剑。

高立慢慢地从墙角抄起他的枪。

双双忽然道："外面又有人来了，是不是你请来喝喜酒的朋友？"

高立咬了咬牙，道："他们不是朋友。"

双双道："不是朋友，是什么人？"

高立道："是强盗。"

双双脸色变了，仿佛立刻就要晕倒。

高立心里又是一阵酸楚，柔声道："我叫大象扶你回房去歇一歇，我很快就会将强盗赶跑的。"

双双道："真的很快？"

高立道："真的。"

他勉强忍耐着，不让泪流下。

他希望这是自己最后一次骗她。

也许这真的是最后一次了。

06

毛战还在修指甲，丁干还在修胡子，麻锋躺在树荫下，更连头都没有抬起。

在他们眼中，“小武”和高立已只不过是两个死人。

但西门玉却迎了上去，笑容温柔而亲切，微笑着道：“你们这两天辛苦了？”

秋凤梧居然也笑了笑，道：“还好。”

西门玉道：“昨天睡得好不好？”

秋凤梧道：“我们倒还睡得着，吃得饱。”

西门玉又笑了，道：“能吃能睡就是福气。上次我给你们的银子，你们花光了吗？”

秋凤梧道：“还有一点。”

西门玉笑道：“当然还有，我早就听说百里长青是个很大方的人。”

秋凤梧道：“不错，他给了我们每个人五万两，想不到救人比杀人赚的钱还多。”

西门玉点点头，道：“这倒提醒了我，我以后只怕也要改行了。”

秋凤梧道：“现在呢？”

西门玉微笑着说道：“现在我还想免费杀几个人。”

秋凤梧叹了口气，道：“我本该也免费杀个人的，只可惜他的皮太厚了，我也懒得费力气。”

西门玉道：“你是说丁干？”

秋凤梧道：“我只奇怪皮这么厚的人，胡子是怎么长出来的。”

西门玉道："他的确厚颜无耻，而且还杀了两个伙伴，你猜我要怎么样对付他？"

秋凤梧道："猜不出。"

西门玉道："我准备赏给他五百两银子，因为他总算活着回去将你们的行踪告诉了我。"

他笑了笑，悠然道："你看，我赏罚是不是一向公平得很？"

秋凤梧道："的确公平得很。"

西门玉忽然又叹了口气，说道："我知道你现在陪我聊天，不过是在等机会杀我，我始终认为你是最懂得怎么样杀人的一个人，所以我实在替你可惜。"

秋凤梧道："你还知道什么？"

西门玉道："我也知道你们一定会在这里等着我的。"

秋凤梧道："为什么？"

西门玉道："因为带着个女人走路，总是不太方便，这女人偏偏又是丢不下的。"

他忽然向高立笑了笑，道："你说对不对？"

高立冷冷道："对极了。"

西门玉微笑道："久闻嫂夫人是位天仙般的美人，你为什么不请出来让我们见见？"

高立道："她只见人，不见你们这种……"

他身子突然僵硬，声音立刻嘶哑。

因为他已听到了双双的脚步声。

双双已挣扎着，走了出来，正在不停地喘息。

每个人的眼睛都突然睁大了，就像是突然看见一个有三条腿的人。

毛战突然大笑，道：“你们看见了没有，这就是高立的女人。”

丁干大笑道：“这是个女人么？这简直是个妖怪，不折不扣的妖怪。”

毛战道：“如果谁要我娶这种妖怪，我情愿去做和尚，情愿一头撞死。”

高立的脸已因痛苦而扭曲变形。

他不敢再回头去看双双。

他突然像一条负伤的野兽般冲了出去——

他宁可死，宁可死一千次、一万次，也不愿让双双受到这种打击。

第四章

命　运

01

刀法、剑法的名家，常常会认为用双刀双剑是件很愚蠢，甚至很可笑的事。

在枪法的名家眼中看来，双枪简直就不能算是一种枪。

因为武功也正如世上很多别的事一样，多，并不一定就是好。

一个手上长着七根指头的人，并不见得能比只有五根指头的人更精于点穴。

真正精于点穴的人，只要用一根手指就已足够了。

可是用双刀双剑的人，也有他们的道理。

“人明明有两只手，为什么只用一件武器？”

无论哪种道理比较正确，现在却绝不会有人认为高立是可笑的。

他的双枪就像是毒龙的角，飞鹰的翼。

他从西门玉面前冲了过去，他的枪已飞出，这一枪飞出，就表示血战已开始。

但秋凤梧还是没有动，因为西门玉也没有动，甚至连看都没有去看高立一眼。

他眼睛一直在盯着秋凤梧的手，握剑的手。

秋凤梧已可感觉到自己的手上沁着冷汗。

西门玉忽然笑了笑，道：“我若是你，现在就已将这柄剑放下来。”

秋凤梧道：“哦！”

西门玉道：“因为你若放了这柄剑，也许还有活下去的机会。”

秋凤梧道：“有多少机会？”

西门玉道：“并不多，但至少总比完全没有机会好些。”

秋凤梧道：“高立已完全没有机会。”

西门玉道：“他枪法不错，在用枪的高手中，他几乎已可算是最好的一个。”

秋凤梧道：“你说得很公平。”

西门玉道：“我看过他的枪法，也看过他杀人，世上绝没有人能比我更了解他的武功。”

秋凤梧道：“我知道你一定很注意他。”

西门玉道：“我也很了解毛战和丁干。”

秋凤梧道：“你认为他们已足够对付高立？”

西门玉道：“至少已差不多。”

秋凤梧道：“我呢？”

西门玉道：“我当然也很了解你。”

秋凤梧道：“你和麻锋已足够对付我。”

西门玉微笑道：“已嫌多了。”

秋凤梧道：“你算准了才来的？”

西门玉道：“要知己知彼，才能百战百胜，若没有十拿九稳的把握，我怎么会来。”

秋凤梧突然长长吐出口气，就好像一个漂流在大海上，已经快要淹死的人，突然发现了陆地一样。

“十拿九稳的西门玉毕竟还是算错了一次。”

他没有将金开甲算进去。

他当然做梦也不会想到，昔年威震天下的大雷神也在这里。

“无论是多与少的错误，都可能会是致命的错误。”

他这次犯的错误可真是大得要命。

秋凤梧慢慢地点了点头，道：“你的确算得很准，你们四个人的确已是足够对付我们两个。”

现在他虽然没有看见金开甲，但他却知道金开甲一定会在最适当的时候出现的。

他几乎忍不住要笑出来。

双枪飞舞，闪动的银光，映在他脸上，他看来从未如此轻松过。

西门玉盯着他的脸，忽又笑了笑，道：“我知道这里还有一个人。”

秋凤梧道：“你知道？”

西门玉淡淡地道：“所以我们来的人也不止四个。”

秋凤梧叹了口气，道：“我虽然没有看见，但总算早已想到了。”

西门玉道：“哦！”

飞舞的刀和枪就在他的身后，距离他还不及两尺。

刀枪相击，不时发出惊心动魄的声音，凛冽的刀风，已使他的发髻散乱。

但是他脸上却连一根肌肉都没有颤动。

秋凤梧也不能不佩服，他也从未见到过如此镇静的人。

他也笑了笑，道：“还有别的人呢？是不是在后面准备放火？”

西门玉道：“是。”

秋凤梧道：“先放火隔断我的退路，再绕到前面来和你前后夹击。”

西门玉道：“你好像也很了解我。”

秋凤梧道：“我学得快。”

西门玉叹道：“你本来的确可以做我的好帮手的。”

他目光忽然从秋凤梧的身上移开，移到双双身上。

双双还站在门口，站在阳光下。

她纤细瘦弱的手扶着门，仿佛随时都可能倒下去。

可是她没有倒下去。

她身子似已完全僵硬，脸上也带着种无法形容的表情。

她虽然没有倒下去，但她整个人却似已完全崩溃。

你永远无法想象那是种多么令人悲痛的姿势和表情。

秋凤梧不忍回头去看她，忽又笑了笑，道：“火起了么？”

西门玉道：“还没有。”

秋凤梧道：“为什么还没有？”

西门玉道：“你在替我着急？”

秋凤梧道：“我只怕他们不会放火。”

西门玉道：“谁都会放火。”

秋凤梧道：“只有一种人不会。”

西门玉道：“死人。”

秋凤梧笑了。

就在这时，西门玉已从他身旁冲过去，冲向双双，一直躺在树荫下的麻锋，也突然掠起，惨碧色的剑光一闪，急刺秋凤梧的脖子。

但也就在这时，屋背后突然飞过来两条人影，“砰”地，跌在地上。

西门玉没有看这两个人，因为他早已算准他们已经是死人——他已看出自己算错了一着。

现在他的目标是双双。

他也看得出高立对双双的感情。

只要能将双双挟持，这一战纵不能胜，至少也能全身而退。

双双没有动，没有闪避。

但她身后却已出现了一个人。

一个天神般的巨人。

金开甲就这样随随便便地站在门口，仿佛完全没有丝毫戒备。

但无论谁都可以看得出，要击倒他绝不是件容易事。

他脸上也没什么表情，一双死灰色的眸子，冷冷地看着西门玉，他并没有出手拦阻，但西门玉的身法却突然停顿，就像是突然撞到一面看不见的石墙上。

这既无表情，也没有戒备的独臂人，身上竟似带着种说不出的杀气。

西门玉眼角的肌肉似已抽紧，盯着他，一字字道："足下尊姓？"

金开甲道："金！"

西门玉道："金？黄金的金？"

他忽然发现这独臂人手里的铁斧，他整个人似也已僵硬。

"大雷神！"

金开甲道："你想不到？"

西门玉叹了口气，苦笑道："我算错了，我本不该来的。"

金开甲道："你已来了。"

西门玉道："现在我还能不能走？"

金开甲道："不能。"

西门玉道："我可以留一只手。"

金开甲道："一只手不够。"

西门玉道：“你还要什么？”

金开甲道：“要你的命。”

西门玉道：“没有交易？”

金开甲道：“没有。”

西门玉长长叹出口气，道：“好。”

他突然出手，他的目标还是双双。

因为他知道金开甲一定要保护双双的。

保护别人，总比保护自己困难，也许双双才是金开甲唯一的弱点，唯一的空门。

金开甲没有保护双双。

他知道最好的防御，就是攻击，他的手一挥，铁斧劈下。

这一斧简单、单纯、没有变化，没有后着——这一斧已用不着任何变化后着。

铁斧直劈，本是武功中最简单的一种招式。

但这一招却是经过了千百次变化之后，再变回来的。

这一斧已返璞归真，已接近完全。

没有人能形容这一斧那种奇异微妙的威力，也没有人能了解。

甚至连西门玉自己都不能。

他看见铁斧劈下时，已可感觉到冰冷锐利的斧头砍在自己身上。

他听见铁斧风声时，同时也已听见了自己骨头断裂的声音。

他几乎不能相信这是真的。

死，怎么会是这么样一件虚幻的事？既没有痛苦，也没有恐惧。

他还没有认真想到死这件事的时候，突然间，死亡已将他生命攫取。

然后就是一阵永无止境的黑暗。

双双还是没有动，但泪珠已慢慢地从脸上流了下来……

突然间，又是一阵惨呼。

秋凤梧正觉麻锋是个很可怕的对手时，麻锋就犯了个致命的错误。

他挥剑太高，下腹露出了空门。

秋凤梧连想都没有去想，剑锋已刺穿了他的肚子。

麻锋的人在剑上一跳，就像是钓钩上的鱼。

他身子跌下时，鲜血才流出，恰巧就落在他自己身上。

他死得也很快。

毛战似已完全疯狂。

因为他已嗅到了血腥气，他疯狂得就像是一只嗅到血腥的饥饿野兽。

这种疯狂本已接近死亡。

他已看不见别的人，只看见高立手里飞舞着的剑。

丁干已在一步步向后退，突然转身，又怔住。

秋凤梧正等在那里，冷冷地看着他，冷冷道："你又想走？"

丁干舔了舔发干的嘴唇，道："我说过，我还想活下去。"

秋凤梧道："你也说过，为了活下去，你什么事都肯做。"

丁干道："我说过。"

秋凤梧道："现在你可以为我做一件事。"

丁干目中又露出盼望之色，立刻问道："什么事？"

秋凤梧道："毛战是不是你的好朋友？"

丁干道："我没有朋友。"

秋凤梧道："好，你杀了他，我就不杀你。"

丁干什么话都没有说，他的手已扬起。

三柄弯刀闪电般飞出，三柄弯刀全都钉入了毛战的左胸。

毛战狂吼一声，霍然回头。

他已看不见高立，看不见那飞舞的银枪。

银枪已顿住。

他盯着丁干，一步步往前走，胸膛上的鲜血不停地往下流。

丁干面上已经全无血色，一步步往后退，嗄声道："你不能怪我，我就算陪你死，也没什么好处。"

毛战咬着牙，嘴角也已有鲜血沁出。

丁干突然冷笑，道："但你也莫要以为我怕你，现在我要杀你只不过是举手之劳。"

他的手又扬起。

然后他脸色突然惨变，因为他发现自己双臂都已被人握住。

毛战还是在一步步地往前走。

丁干却已无法再动，无法再退。

秋凤梧的手就像是两道铁箍，紧紧地握住了他的臂。

丁干面无人色，颤声道："放过我，你答应过我，放我走的。"

秋凤梧淡淡道："我绝不杀你。"

丁干道："可是他……"

秋凤梧淡淡道："他若要杀你，和我又有什么关系。"

丁干突然放声惨呼，就像是一只落入陷阱的野兽。

然后他连呼吸声也停顿了。

毛战已到了他面前，慢慢地拔出了一柄弯刀，慢慢地刺入了他胸膛——

三柄弯刀全都刺入他胸膛后，他还在惨呼，惨呼着倒了下去。

毛战看着他倒了下去，突然转身，向秋凤梧深深一揖。

他什么话都没有说。

他用自己手里的刀，割断了自己的咽喉。

没有人动，没有声音。

鲜血慢慢地渗入阳光普照的大地，死人的尸体似已开始干瘪。

双双终于倒了下去。

秋凤梧看着她，就像是在看着一朵鲜花渐渐枯萎……

02

阳光普照大地。

金开甲挥起铁斧，重重地砍了下去，仿佛想将心里的悲愤，发泄在大地里。

大地无语。

它不但能孕育生命，也同样能接受死亡。

鲜花在地上开放时，说不定也正是尸体在地下腐烂的时候。

坟已挖好。

金开甲提起西门玉的尸体，抛了下去。

一个人的快乐和希望是不是也同样如此容易埋葬呢？

他只知道双双的快乐和希望已被埋葬了，现在他只有眼见着它在地下腐烂。

你夺去一个人的生命，有时反而比夺去他的希望仁慈些。

他实在不敢想象，一个已完全没有希望的人，怎么还能活得下去，他自己还活着，就因为他虽然没有快乐，却还有希望，双双呢？他从未流泪，绝不流泪。

但只要一想起双双那本来充满了欢愉和自信的脸，他心里就像是有针在刺着。

现在他只希望那两个年轻人能安慰她，能让她活下去，他自己已老了。

安慰女人，是年轻人的事，老人已只能为死人挖掘坟墓。

他走过去，弯腰提起了麻锋的尸体。

麻锋的尸体竟突然复活。

麻锋并没有死。

腹部并不是人的要害，大多数的腹部被刺穿，却还可以活下去。

认为腹部是要害的人，只不过是种错觉。

麻锋就利用了这种错觉，故意挨了秋凤梧的一剑。

金开甲刚提起了他，他的剑已刺入了金开甲的腰，直没至剑柄。

03

剑还在金开甲身上，麻锋却已逃了。

他把握住最好的机会逃了。

因为他知道高立和秋凤梧一定会先想法子救人，再去追他的。

所以他并没有要金开甲立刻死。

高立和秋凤梧赶出来时，金开甲已倒了下去。

现在他仰躺在地上，不停地喘息着，嗄声问道："双双呢？"

现在他关心的还是别人。

高立勉强忍耐着心里的悲痛，道："她身子太弱，还没有醒。"

金开甲道："你应该让她多睡些时候，等她醒来时，就说我已走了。"

他剧烈地咳嗽着，又道："你千万不要告诉她我已经死了，千万不要……"

高立道："你还没有死，你绝不会死的。"

金开甲勉强笑了笑，说道："死又不是什么了不起的事，你们何必作出这种样子来，让我看了实在难受。"

秋凤梧也勉强笑了笑，想说几句开心些的话，却又偏偏说不出来。

金开甲道："现在这地方你们已绝不能再留下去，愈快走愈好。"

秋凤梧道："是。"

金开甲道："高立一定要带着双双走。"

秋凤梧道："你放心好了，他绝不会抛下双双的。"

金开甲道："我也希望你答应我一件事。"

秋凤梧道："什么事？"

金开甲道："回去，我要你回去。"

秋凤梧咬了咬牙，道："为什么要我回去？"

金开甲喘息道："你回去了，他们就绝不会再找到你，因为谁也想不到你会是孔雀山庄的少主人。"

秋凤梧道："可是……"

金开甲道："他们找不到你，也就找不到高立，所以为了高立，你也该回去。"

秋凤梧沉默了半晌，忽然道："我可以带他们一起回去。"

金开甲道："不可以。"

秋凤梧道："为什么？"

金开甲道："孔雀山庄的人很多，嘴也多，看到你带着这么样两个人回去，消息迟早一定会走漏出来的。"

秋凤梧道："我不信他们真敢找上孔雀山庄去。"

金开甲道："我知道你不怕麻烦，但我也知道高立的脾气。"

他又咳嗽了好一阵子，才接着道："他一向是个不愿为朋友惹麻烦的人，你若真是他的朋友，就应该让他带着双双，平平静静地去过他们的下半辈子。"

秋凤梧道："可是他……"

金开甲道："他若真的到了孔雀山庄，你们一定全都会后悔。"

秋凤梧道："为什么？"

金开甲道："你不必问我为什么，你一定要相信我……"

他挣扎着，连喘息都似已无法喘息。

过了很久，才一字字道："你若不肯答应我，我死也不会瞑目的。"

秋凤梧握紧双拳，道："好，我答应你，但你也要答应我一件事。"

金开甲勉强点了点头。

秋凤梧道："你不能死，绝不能死，只有你活着，我们才能对付青龙会。"

他咬着牙，接着道："只有等到青龙会瓦解的那一天，我们大家才能过好日子。"

金开甲道："你们会有好日子过，但却用不着我。"

他又勉强笑了笑，接着道："你最好记住，要打倒青龙会，绝不是任何人能做到的事，就连孔雀翎的主人都不行。"

秋凤梧道："你……"

金开甲道："我更不行，要打倒青龙会，只有记住四个字。"

秋凤梧道："哪四个字？"

金开甲道："同心合力。"

"同心合力！"

这四个字就是这纵横一世的武林巨人，最后留下的教训。

他自己独来独往，纵横天下，但他到了临死时，所留下的却是这四个字。

因为这时他才真正了解，世上绝没有任何一种力量，能比得上"同心合力"的。

现在他已说出了他要说的话。

他知道他的死已有价值。

要活得有价值固然困难，要死得有价值更不容易。

04

黄昏。

夕阳从窗外照进来，照在屋角。

两只老鼠从屋角钻出来，大摇大摆，因为它们以为屋里已没有人。

屋里有人，有三个人。

高立和秋凤梧笔直地站在床前，看着犹在沉睡的双双。

老鼠从他们脚下蹿过，又蹿回。

他们没有动，也没有坐下，他们仿佛在惩罚自己。

所有的不幸，岂非全都是他们两个人造成的？

看着泥土覆盖到金开甲身上时，他们并没有流泪，因为他们已记住金开甲的话。

"死，并不是件了不起的事。"

的确不是。

因为有些人虽然死了，但他的精神却还是永远活着的。

活在人心里。

所以死，并不痛苦，痛苦的是一定要活下去的人。

现在他们看着双双，眼泪反而忍不住要流下来。

双双已醒了。

她一醒过来，就立刻呼唤高立的名字。

高立立刻拉住了她的手，柔声道："我在这里，我一直都在这里。"

双双道："我知道——我知道你绝不会留下我一个人走的。"

高立道："我……我还要你明白一件事。"

双双道："我已经明白了。"

她脸上忽然又露出鲜花般的微笑，接着道："我知道你要告诉我，我是天下最美的女人，那些人说的话，全是故意气我的。"

高立道："他们根本不能算是人，说的也完全不是人话。"

双双道："我明白。"

她抬起手，轻抚着高立的脸，她自己脸上充满了温柔与怜惜，轻轻接着道："我也知道你怕我伤心，其实我早已知道我是个什么样的人了，根本就用不着他们来告诉我。"

高立的心突然抽紧，勉强笑道："但他们说的话，没有一个字是真的。"

双双柔声道："你以为我真的还是个孩子？你以为我连别人说的话是真是假都分不出？"

高立只觉得自己的心在往下沉，几乎已沉到足底。

双双道："可是你也用不着怕我伤心，更用不着为我伤心，因为很多年以前，我已经知道我是个又丑又怪的小瞎子。"

她的声音还是很平静，脸上也丝毫没有悲伤自怜的神色，她轻轻地接着说下去："开始的时候，我当然也很难受，很伤心，但后来我也想开了，每个人都有他自己的命运，所以每个人也都应该接受他自己的命运，好好地活下去。"

她轻抚着高立的脸，声音更温柔。

"我虽然长得比别人丑些，可是我并不怨天尤人，因为我还是比很多人幸运，我不但有仁慈的父母，而且还有你。"

秋凤梧在旁边听着，喉头也似已哽咽。

他看着双双的时候，目中已不再有怜悯同情之色，反而充满了钦佩和尊敬。

他实在想不到，在这么样一个纤弱畸形的躯壳里，竟会有这么样一颗坚强伟大的心。

高立凄然道："你既然早已知道，为什么不说出来？"

双双道："我是为了你。"

高立道："为我？"

双双道："我知道你对我好，我希望你在我这里，能得到快乐，但我若说了出来，你就会为我伤心难受了。"

她轻轻叹息了一声，道："你这么对我，我怎么能让你难受呢？"

高立看着她，泪已流下。

他忽然发现他自己才是他们之间比较懦弱、比较自私的一个人。他照顾她，保护她，也许只不过是为了自己快乐，为了要使自己有个赎罪的机会，为了要使自己的心灵平静。他一直希望能在她的笑容中，清除自己手上的血腥。他一直都在回避，逃避别人，逃避自己，逃避那种负罪的感觉，只有在她这儿，他才能获得片刻休息。

双双柔声道："所以我希望你不要为我伤心，因为我自己从来就没有为自己伤心过，只要我们在一起时真的很快乐，无论我长得是什么样子都没关系。”

这些话本该是他说的，她自己反而说了出来。

他忽然发觉这些年来，都是她在照顾着他，保护着他，若没有她，他也许早已发疯，早已崩溃。

双双继续道：“现在你是不是已明白了我的意思？”

高立没有再说什么。

他跪了下去，诚心诚意地跪了下去。

秋凤梧看着他们，热泪也已忍不住夺眶而出。

他忽然也发现了一件事。

上天永远是公平的。

它虽然没有给双双一个美丽的躯壳，却给了她一颗美丽的心。

新坟。

事实上，根本没有坟。

泥土已拍紧，而且还从远处移来一片长草，铺在上面。

现在谁也看不出这块土地下曾经埋葬过一位绝代奇侠的尸体。

这是高立和秋凤梧共同的意思，他们不愿再有任何人来打扰他地下的英魂。

也没有墓碑，墓碑在他们心里：“他不是神，是人，一个伟大的人，一个伟大的朋友。”

他那一身惊天动地的武功，也许会被人忘怀，但是他为他们所做的那些事，却一定永远留在他们心里。

黄昏时他们又带着酒到这里来，整整一大坛酒。

他们轮流喝着这坛酒，然后就将剩下来的，全都洒在这块土地上。

高立和双双并肩跪了下去："这是我们的喜酒。"

"我知道你一直想喝我们的喜酒。"

"我一定会带着她走，好好照顾她，无论到哪里，都绝不再离开她。"

"我一定会要他好好地活着。"

他们知道他一定希望他们好好活着，世上已没有任何事能比这件事更能表示出他们对死者的诚意和尊敬。

然后双双就悄悄地退到一旁，让这两个同生死、共患难的朋友互道珍重。

暮色更浓，归鸦在风林中哀鸣，似乎也在悲伤着人间的离别。

秋凤梧看着高立。

高立看着秋凤梧，世上又有什么样的言辞，能叙述出离别的情绪?

也不知过了多久，秋凤梧终于勉强笑了笑，道："你知不知道你是个多么有福气的人？"

高立也勉强笑了笑，道："我知道。"

秋凤梧道："现在你已用不着我来陪你。"

高立道："你要回去了？"

秋凤梧道："我答应过，我一定要回去。"

高立道："我明白。"

秋凤梧道："你们呢？"

高立道："我也答应过，我们一定会好好地活下去。"

秋凤梧道："你们准备去哪里？"

高立道："天下这么大，我们总有地方可以去的。"

秋凤梧慢慢地点了点头，道："但无论你们在哪里，以后一定要去找我。"

高立道："一定。"

秋凤梧道：“带着她一起来。”

高立道：“当然。”

秋凤梧忽然伸出手，紧紧握住了高立的手，道：“我还要你答应我一件事。”

高立道：“你说。”

秋凤梧道：“以后无论你们有了什么困难，你一定要去找我。”

夜色已临。

秋凤梧孤独瘦削的人影，已消失在夜色里。

高立轻轻拥住了双双，只觉得心里又是幸福，又是酸楚。

双双柔声道：“你真是个有福气的人。”

高立点点头。

双双道：“很少有人能交到他这样的朋友。”

高立俯下头，轻吻她的发梢，柔声道：“很少有人能娶到你这样的妻子。”

他的确很幸福，他有个好朋友，也有个好妻子。

无论对什么样的人说来，这都已足够。

但也不知为了什么，他心里竟充满了悲伤和恐惧，一种对未来的悲伤和恐惧。

因为他实在没有把握，是不是真能好好地活下去。

双双抬起头，忽又道：“你是不是在害怕？”

高立勉强笑道：“我害怕？怕什么？”

双双道：“怕我们没法子好好地活下去，怕那些人再来找你，怕我们没有谋生之道。”

高立沉默。

他一向很了解，生活是副多么沉重的担子。

双双道："其实你不该害怕的，一个人只要有决心，总有法子能活下去。"

高立道："可是……"

双双打断了他的话，道："我不怕吃苦，只要能跟你在一起，就算吃些苦，也是快乐的。"

高立道："可是我要好好照顾你，我要你过好日子。"

双双道："过什么样的日子，才能算是好日子呢？"

高立没有回答。

他不知道应该怎么样回答。

双双道："能吃得好，穿得好，并不能算是个好日子，最重要的是，要看你心里是不是快乐，只要能心里快乐，别的事我全不在乎。"

她温柔的脸上，带着一种无法描述的勇气和决心。

高立慢慢地挺起了胸，拉起了她的手。

他心里忽然也充满了决心和勇气，他知道现在世上已绝没有任何事，能令他悲伤畏惧了。

因他已不再孤独。

不再孤独——只有曾经真正孤独过的人，才知道这是种多么奇妙的感觉。

05

他们并没有到深山中去，也没有到边荒外去，他们找了安静和平的村庄住下来，镇上的人善良而淳朴。

一个辛勤的佃户，和一个病弱的妻子，在这里是绝不会引起别人闲话的。

他们日出而作，日落而息，他们过的日子平静而甜蜜。

只可惜这并不是我们这故事的结束。

高立回来了。

带着一身泥土和疲劳回来了。

双双已用她纤弱柔和的手，为他炒好了两样菜，温热了一壶酒，这屋里的每样东西她都已熟悉，她渐渐已可用她的手代替眼睛。

现在她已远比以前健康得多。

甜蜜快乐的生活，无论对什么样的病人说来，都无疑是一帖良药。

高立看着桌上的酒菜，笑得就像是个孩子：“今天晚上居然有酒。”

双双甜甜地笑着，道：“这几天你实在太累，我应该好好地犒赏犒赏你。”

高立坐下来，先喝了口酒，才笑道：“我只希望今年交过租后，能多剩下几担谷子，去替你换些好玩的东西来。”

双双就像是被宠坏了的孩子，坐到他膝上，眨着眼道：“我只想要一样东西。”

高立道：“你要什么？”

双双道：“你。”

她用她纤弱的小手，捏住了他的鼻子。

他张大嘴，假装喘不过气来。

她吃吃地笑着，将一杯酒倒下去。他拿起筷子，夹了块排骨，要塞进她的嘴。

突然，他的筷子掉了下来。

他的手已冰冷。

筷子夹的不是排骨，是条蜈蚣，七寸长的死蜈蚣。

双双道："什么事？"

高立脸色也变了，还是勉强笑道："没什么，只不过菜里有条蜈蚣，一定是刚从顶上掉下来的，看样子今天晚上这糖醋排骨我吃不到嘴了。"

双双沉默了很久，终于也勉强笑了笑，道："幸好厨房里还有蛋，我们煎蛋吃。"

她一站起来，高立也立刻站起来，道："我陪你去。"

双双道："我去，你坐在这里喝酒。"

高立道："我要陪你去，我喜欢看你煎蛋的样子。"

双双笑道："煎蛋的样子有什么好看。"

高立道："我偏偏就是喜欢看。"

两个人虽然还是在笑着，但心里却已突然蒙上了一层阴影。

厨房里很干净。

你绝对想不到像双双这么样一个女人，也能将厨房收拾得这么干净。

爱的力量实在奇妙得很，它几乎可以做得出任何事，几乎可以造成任何奇迹。

双双走进来，高立也走进来，双双去拿蛋，高立也跟着去拿蛋。

他跟着她，简直已寸步不离。

双双开了炉门，高立扇了扇火，双双拿起锅摆上去，高立掀起了锅盖。

突然，锅盖从他的手里掉了下去。

他的手更冷，心也更冷。

锅并不是空的，锅里有两个纸人。

用白纸剪成的人，没有头的人。

头已被撕断，脖子上已被鲜血染红。

炉火很旺，纸人被烤热，突然开始扭曲变形，看来更是说不出的诡秘可怖。

双双的脸色苍白，似乎已将晕过去，她有种奇妙的第六感，可以感觉到高立的恐惧。

她没有晕过去，因为她知道这时候他们已一定要想法子坚强起来，她忽然柔声道："现在我们是不是已经可以说老实话了？"

高立握紧双拳，道："是。"

双双道："蜈蚣不是从屋顶上掉下来的，这里绝不会有蜈蚣。"

高立点点头，面上充满了痛苦之色。

因为他知道他们平静甜蜜的生活，现在已结束了。

要承认这件事，的确实在太痛苦。

但双双却反而很镇静，握紧了他的手，道："我们早已知道他们迟早总会找来的，是不是？"

高立道："是。"

双双道："所以你用不着为我担心，因为我早已有了准备。"她的声音更温柔，接着道，"我们总算已过了两年好日子，就算现在死了，也没什么遗憾，何况，我们还未必会死。"

高立挺起胸，大声道："你以为我怕他们？"

双双道："你当然不怕，你是个顶天立地的男子汉，怎么会怕那些鬼鬼祟祟的小人。"

她脸上发出了光，因为她本就一直在为他骄傲，高立忽然又有了勇气。

你若也爱过人，你才会知道这种勇气来得多么奇妙。

双双道："现在你老实告诉我，锅里究竟有什么东西？"

高立讷讷道："只不过……只不过是两个纸人而已。"

双双道："纸人？"

高立冷笑道："他们想吓我们，却不知我们是永远吓不倒的。"

死蜈蚣和纸人当然要不了任何人的命，无论谁都可以看得出，这只不过是种威胁，是种警告。

他们显然并不想要他死得太快。

双双咬着嘴唇，沉默了很久，忽然道："你洗洗锅，我替你煮蛋吃，煮六个蛋，你吃四个大的，我吃两个。"

高立道："你……你还吃得下？"

双双道："为什么吃不下？吃不下就表示怕了他们，我们非但要吃，而且还要吃多些。"

高立大笑道："对，我吃四个，你吃两个。"

也只有连壳煮的蛋，才是最安全的。

于是他们开始吃蛋。

双双道："这蛋真好吃。"

高立道："嗯，比排骨好吃多了。"

双双道："他们若敢像个男人般堂堂正正走进来，我也可以请他们吃两个蛋的。"

高立冷笑道："只可惜他们不敢，那种人只敢鬼鬼祟祟地做些见不得人的事。"

突然间，窗外也有人在冷笑。

高立霍然长身而立，道："什么人？"

没有回应，当然没有回应。

高立想追出去，却又慢慢地坐了下来，淡淡道："果然又是个见不得人的。”

双双道：“你知不知道用什么法子对付他们这种人最好？”

高立道：“你说什么法子？”

双双道：“就是不理他们。”

高立大笑，道：“对，见怪不怪，其怪自败，这的确是个好法子。”

他笑的声音很大，可是他真的在笑么？

窗外一片黑暗，无边无际的黑暗。

黑暗中也不知隐藏着多少可怕的事，多少可怕的人？

屋子里却只有他们两个。

小小的一间屋子，小小的两个人，外面那无边无际的黑暗和恐惧，已完全包围住他们。

他真的能不怕？

银枪已从床下取出来。

枪上积满了灰尘，但却没有发锈。

有些事是永远不会发锈的，有些回忆也一样。

高立想到了秋凤梧。

“不知道他现在怎么样？不知道他们是不是也找着了他？”

他希望没有。这件事，他希望就在这里结束，就在他身上结束。他唯一放不下的，只有双双，如果他不在了，双双会怎样？他连想都不愿想。双双好像也没有想，似已睡着，她实在远比任何人想象中都坚强得多，勇敢得多，但在睡着的时候，她看来还是个孩子，他怎么能忍心抛下她？他怎么能死？窗外风在呼啸，夜更黑暗，他紧紧握着他的枪，他用尽所有的一切力量，不让眼泪流下来，但他泪已流下。

双双翻了一个身，忽然问道：“你为什么还不睡？”

原来她也没有睡着。

高立道："我……我还不想睡。"

双双道："莫忘了你明天还要早起下田去。"

高立勉强笑了笑，道："明天我可不可以偷一次懒？"

双双道："当然可以，只不过，后天呢？……大后天呢？"

她叹息了一声，接着道："他们若一直不出现，难道你就一直在这里陪着我？……难道你能在这小屋里陪我一辈子？"

高立道："为什么不能？"

双双道："就算你能，这样子我们又能维持到几时？"

高立道："维持到他们出现的时候，等着他们来找我，总比我去找他们好。"

双双道："但他们几时才来找你呢？"

高立肯定道："他们既已来了，就绝不会等太久的。"

双双道："他们这样做，也许就是要将你困死在这屋子里，要等你精疲力竭的时候才出现。"

高立苦笑道："可是他们不必等，他们根本没有这种必要。"

双双道："为什么？"

高立黯然道："现在是不是已到了应该说老实话的时候？"

双双道："是。"

高立接着道："那么我只希望你能为我做一件事。"

双双道："什么事？"

高立轻抚着她的脸，柔声道："我要你答应，无论我出了什么事，你都要好好活下去。"

双双道："你……你……你这是什么意思？"

高立凄然道："我的意思你应该明白。"

双双道："你怕他们？"

高立道："我不能不怕。"

双双道："为什么？"

高立的脸已因痛苦而扭曲，道："你永远想不到他们有多么的可怕，这次他们既然又找来了，就一定已经有十分的把握。"

双双沉默着。

她仿佛忽然变得很冷静，过了很久，才缓缓道："他们若真的已经有十分的把握，为什么不立刻下手呢？"

高立道："因为他们故意要让我痛苦。"

双双道："但他们下手捉住你之后，岂非还是一样可以令你痛苦？"

高立怔住。

然后他眼睛渐渐发亮，突然跳起来，道："我想通了。"

双双道："你想通了什么？"

高立道："青龙会的人并没有来。"

双双道："来的是什么人？"

高立道："来的只有一个人，所以他才要这么样做，要逼得我精疲力竭，逼得我发疯，然后他才好慢慢地收拾我。"

双双道："你知道这人是谁？"

高立道："麻锋，一定是麻锋。"

麻锋很少杀人，但他若要杀人，就从不失手，他杀人很慢，慢得可怕。

"你若要杀一个人，就得要他变作鬼之后，都不敢找你报复。"

高立的脸因兴奋而发红，道："我知道他迟早一定会来的，我知道。"

双双道："为什么？"

高立道："他要来报复。"

双双道："报复？"

高立道："有些人自己可以做一万件对不起别人的事，但别人却不能做一件对不起他的事，否则他就一定要亲手来报复。"

他咬着牙，字字道："但他却忘了，我也正要找他。"他当然永远忘不了是谁杀了金开甲。

双双问道："你怎么知道他没有带青龙会的人来？"

高立道："他绝不会。"

双双道："为什么？"

高立道："因为报复是种享受，杀人也是，他绝不会要别人来分享的。"

双双紧握住他的手，道："他……他一定是个很可怕的人。"

高立冷笑着说道："他的确是，但我并不怕他。"

他声音突然停顿，外面竟有人在敲门，敲门的声音很轻、很慢，每一下都仿佛敲在他们心上。

高立几乎连呼吸都已停止。

他忽然发现自己并不如他自己想象中那么有把握。

这两年来，他拿的是锄头，不是枪，敲门声还在继续着，轻轻地，慢慢地，一声又一声……

双双的手好冷。

他忽然发现她也并不如她自己想象中胆子那么大。

双双终于忍不住说道："外面好像有人在敲门。"

高立道："我听见了。"

双双道："你不去开门？"

高立冷笑道："他若要进来，用不着我去开门，他也一样能进来。”其实他自己也知道这只不过是种借口。

他的确是在畏惧。

因为他不能死，所以他怕死。

怕死并不是件可耻的事，绝不是。

你若是个真正的男子汉，有双双这么样一个爱你的女人需要你照顾，你也会怕死的。

双双的心仿佛在被针刺着。

她当然了解他，没有人比她更了解他，她空洞灰暗的眼睛里，忽然泉水般涌出了一连串晶莹的泪珠。

高立道：“你……你在哭？”

双双点点头，道：“你知道我一直在为你而骄傲的。”

高立道：“我知道。”

双双道：“但现在……现在我却没有这种感觉了。”

高立垂下头。

他当然也了解双双的心情。

没有一个女人愿意自己的男人是懦夫，更没有女人愿意自己的男人在面对困难和危险时候畏惧逃避。

双双凄然道：“我知道你是为了我才这样做的，但我却不愿你为了我这么样做，因为我知道你现在一定很痛苦，因为你本不是懦夫。”

高立道：“可是你……”

双双道：“你用不着为我担心，无论我怎么样，只要是你应该去做的事，你还是一定要去做的，否则我也许会比你更痛苦。”

高立看着她，只有真正的女人，才会说出这样的话。

他忽然发现自己在为她而骄傲，他俯下身，轻吻她面颊上的泪珠，然后就转身走了出去。

她伏在枕上，数着他的脚步声。每天早上，她都在数他的脚步声，从床边只要走十三步，就可以走到外面的门。

一步、两步……四步、五步……

这一去他是不是还能回来呢？她不知道，也不敢想，就算她明知他这一去永不复返，也同样不会拦阻他，因为这件事是他非解决不可的，他已不能逃避。

第五章

故人情重

01

夜色凄迷。

冷雾也不知是在什么时候升起的，一个人静静地站在雾里。

一个阴沉沉的人，一张阴沉沉的脸，眼睛却锐利得好像专吃死尸的兀鹰。

高立一开门，就看见了他。

他几乎和两年前一样完全没有改变。

高立从未想到他居然会真的站在门外等着，就好像是一个专程来拜访的朋友，等着主人来开门一样。

可是他眼睛看着高立，却像是兀鹰在看着一具死尸。

他嘴角带着种残暴而冷酷的笑意，忽然道：“你想不到我会来。”

高立道：“你已来了。”

麻锋道：“不错，我来了，我迟早总要来的，无论谁在我肚子上刺了一剑后，都休想还能太太平平地活下去。”

高立冷笑道：“你还能活到现在，总算已不容易。”

麻锋道：“的确不易，你永远想不到我这条命是花了多少代价才换回来的，所以我现在更不能死，也绝不会死。”

他的瞳孔在收缩，眼睛里充满了怨毒，忽又问道：“小武呢？”

高立道：“你想找他？”

麻锋道：“很想。”

高立嘴角似也露出一丝奇特的笑意，淡淡道：“只可惜你已永远找不到他了。”

麻锋道：“为什么？”

高立道：“你想不出是为了什么？”

麻锋动容道：“难道他已死了？”

高立冷笑道：“他若不死，现在怎么还会放过你。”

麻锋的脸突然扭曲，就好像又被人在肚子上刺了一剑。

高立道：“他虽然死了，但我却没有死。”

麻锋长长吐出一口气，道：“不错，你没有死，幸好你还没有死，这两年来，我日日夜夜都在求老天保佑你们活得长些。”

他每个字里都充满了恶毒的怨恨，令人不寒而栗。

高立发觉自己的掌心在流汗，所以立刻大声道：“你本该求我快死的，因为我若不死，你就得死，现在你已非死不可。”

麻锋冷笑。

高立也在冷笑道：“干我们这一行的，做错一件事，就已非死不可，你却已做错了三件事。”

麻锋淡淡道：“我在听着。”

高立道：“第一，你不该一个人来的；第二，你本该用双双要挟我，现在却已错过机会；第三，你更不该这样子来敲我的门。”

麻锋点点头，道：“有道理。”

高立道：“你本来也许有机会暗算我的……”

麻锋突然打断了他的话，冷冷道：“我根本不必暗算你，也不必用你那宝贝老婆要挟你，因为我随时都可以杀了你。”

高立大笑。

麻锋道："这两年来，我每天都苦练六个时辰，你呢？"

高立的笑突然停顿。

麻锋冷冷地看着他，道："你现在还活着，只因为我现在还不想杀你。"

高立没有说话，也没有动。

他忽然觉得很不舒服，麻锋的态度愈镇定，他愈不舒服。

麻锋逼人的目光已离开了他，正在仰视着凄迷黑暗的夜空，过了很久，才慢慢地接着道："你还有七天可活。"

他声音中带着奇异而可怕的自信，就像是法官在对犯人下判决。

高立又笑了，费了很大的力气才使自己笑出声来。

麻锋却连看都没有看一眼，悠然道："再过七天，就是月圆了，我杀人通常都喜欢等到月圆时候。"

高立冷笑道："你也许等不了那么久。"

麻锋淡淡道："也许，但我想你也不必急着要死，你一定还有很多后事要料理，你老婆一定也不愿意你现在就死。"

最后这句话就像是一根针，一下子就刺入高立胃里。

他只觉自己的胃在收缩，似已将呕吐。

麻锋道："我可以留在这里等七天，这地方至少还很干净。"

高立道："你说什么？"

麻锋道："我说的是无论如何能再活七天总是好的。"

高立看着他。

其实他根本没有笑，但脸上却总像是带着种阴险、恶毒，却又充满自信的笑意。

正是这种奇异的自信，使他整个人变得更危险可怕。

麻锋缓缓道："七天，整整七天七夜，已经可以做很多事了，你若安排得很好，那么就算你死了，你老婆还是可以活下去。”

高立垂下头，看着自己的枪。

枪上的灰尘已拭净，但却连那闪动的光芒看来都是虚弱的。

他抬起头，冷汗立刻沿着面颊留下。他的声音干涩而嘶哑，终于忍不住道：“你能等七天，我为什么不能？”

麻锋笑了。

这次他真的笑了，微笑着道：“很好，我明天早上再来，早上我喜欢吃面。”

他不让高立再说话，忽然转身，一眨眼就消失在冷雾里。

高立也没有再看他，刚转过身，已忍不住弯下腰来呕吐。

他不停地呕吐，连胆汁都似已吐出。

然后他就感觉到有一双冰凉但却温柔的小手，捧住了他的脸。

脸也是湿的，却不知是泪？还是冷汗。

又过了很久，双双才笑声道：“你是不是觉得这件事做错了？”

高立摇摇头。

他没有错，七天的确已不算短，已长得足够发生很多事。他必须忍耐，他本有很多优越的条件可以击败别人，但现在却已只剩下忍耐。

双双也没有再问。

只要他认为是对的，她就可以接受。

她轻轻道：“现在你一定要去睡了，明天早上我们吃面。”

打卤面。

面已凉了。

高立凝视着桌上的面，脸上连一丁点表情都没有。

然后他就看到麻锋施施然走进来。

双双道："是麻大爷？"

麻锋道："是我。"

双双道："面凉了，要不要去热热？"

麻锋道："不必。"

双双道："面若不够咸，这里还有佐料。"

她的声音温柔而亲切，就像是个殷勤的妻子，正在招待着她丈夫的朋友。

麻锋看着她，看了很久，忽然叹了口气，道："幸好我要杀的人不是你，你实在比你的丈夫要镇定得多。"

双双笑了笑，淡淡道："你看我这样的女人，会不会在面里下毒呢？"

麻锋刚拿起筷子，又放下。

他兀鹰般的眼睛又瞪了她很久，才沉声道："你不会。"

双双点点头，道："我当然不会。"

麻锋什么话都不再说，忽然站了起来，走入厨房。

双双微笑道："你到厨房去干什么？"

麻锋头也不回，冷冷道："我杀人喜欢自己杀，吃面也喜欢自己煮。"

客房里传出了一阵阵鼾声，麻锋竟似已睡着。

高立睡不着。

他脸上充满了痛苦之色，因为他心里很矛盾，想去做一件事，又不知道是不是应该去做，他忽然发现自己对自己竟已全无信心。

这才是真正可怕的。

麻锋这么样做，也许正为的要彻底摧毁他的信心。

双双柔声道："你在想什么？"

高立道："没什么。"

双双道："我却忽然想到了一件事。"

高立道："哦？"

双双道："他要等七天，也许只不过是因为他比你更没有把握。"

高立道："也许。"

他承认，只因他不愿辩驳。

现在麻锋一定比他坚强，只有他自己知道，他心里的负担多么沉重。

高手相争，死的那一个人通常总是不想死的那一个。

双双道："我知道他住到这里来，为的只不过是想折磨你，但我也不会让他有好日子过。"

高立勉强笑了笑，道："你刚才的确替我出了一口气。"

双双道："现在无论我怎么样对他，他都绝不会报复的，因为……"

她声音似也有些变了，喘了一口大气，才接着道："因为你若没有我，就根本不会怕他，是不是？"

高立凝视着她，忽然一把握住她的肩，颤声道："你……你在想什么？"

他问这句话，只因他自己忽然想到一件可怕的事。

双双笑了笑，笑得仿佛很凄凉，垂下头道："我什么都没有想。"

高立道："我知道你心里在想什么。"

他声音渐渐急促，接着道："你若以为你死了后，我就可以放开手对付他，就可以杀了他，你就完全错了，而且错得可怕。"

双双道："我……"

高立打断了她的话，道："你若死了，我一定也不想再活下去，我发誓，只要你一死，我就立刻陪你死。"

双双咬着嘴唇，忽然扑到他怀里，再也忍不住失声痛哭了起来。

她毕竟是个人，是个女人。她表面看来虽然坚强，但她自己却知道自己心里是多么悲伤，多么恐惧，她本已打算为他死的，她希望他能将悲愤化作力量。

到现在她还没有这么样做，只因为她实在太爱他，实在不忍离开他。

没有人能了解他们的感情是多么深厚。

高立轻抚着她的秀发，喃喃道："为了我，你一定要活下去，为了你，我也一定要活下去……我们一定有法子活下去的。"

他声音说得很轻，因为这些话他本就是说给自己听的。

双双的哭声忽然停止，她已猜出他在想的是什么。

然后她就抬起头，附在他耳畔，轻轻说了三个字："你去吧。"

高立握紧了她的手，一个字都没有再说。

现在无论多么可怕的痛苦和折磨，他们已都可忍受，共同忍受。

因为他们心里已有了希望。

一个美丽的希望。

02

孔雀翎。

世上绝没有任何一种暗器比孔雀翎更可怕，也绝没有任何一种暗器能比孔雀翎更美丽。

没有人能形容它的美丽，也没有人能避开它、招架它。

就连金开甲都不能。

他至死也忘不了这暗器发射的那一瞬间，那种神秘的辉煌和美丽。

在那一瞬间，他竟似已完全晕眩。

然后他就倒了下去。

孔雀山庄也是美丽的，美丽得就像是神话中的仙家城堡一样。

碧绿色的瓦，在秋阳下闪动着翡翠般的光，白石长阶从黄金高墙间穿过去，整个城堡就像是完全用珠宝黄金砌成的。

园中的樱桃树下，有几只孔雀徜徉，水池中浮着鸳鸯。

花是红的、白的、紫的，将这七彩缤纷的庭园，点缀得更美如梦境。

几个穿着彩衣的垂髫少女，静悄悄地踏过柔软的草地，消失在花林里。

远处的菊花将开，风中带着醉人的清香。

小楼上不知是谁在吹笛，唯有这悠扬的笛声，划破了四下的静寂。

大门也是开着的，看不见防守的门丁。

高立奔上那门前的白玉长阶，然后他也倒了下去。

炉里燃着香，香气清雅。

窗外暮色已很深了。

高立张开眼，目光从桌上一盆雏菊前移过去，就看见一个人正在对他微笑。

一个几乎完全陌生的人。

好像是个年轻人，但嘴唇上却已留着修饰得很整齐、很光亮的小胡子，头发也和胡子同样光亮整齐，发髻上缀着一粒拇指般大的明珠。

他衣裳很随便，质料却很高贵，紫缎轻袍上，系着根白玉带。

无论谁都看得出他一定是个很有地位、很有权威的人。

这种人和高立本是活在两个世界里的，只有他的一双锐利的眼睛……

高立忽然想起了这双眼睛，他几乎忍不住立刻就要叫出来。

秋凤梧。

他实在不能相信面前这气派极大的壮年绅士，就是昔日曾经跟他出生入死过的落拓少年，但他却不能不信。

因为这人已走过来，用力握住了他的手，明亮的眼睛里似已有热泪盈眶。

高立长长吐出口气，道："是你，我总算找到你了。"

秋凤梧的手握得更紧，道："你总算来了，总算没有忘记我。"

高立挣扎着，想坐起来。

秋凤梧却按住了他的肩，道："你没有病，可是你太累，还是多躺躺的好。"

高立的确太累。

这两天来，他几乎没有片刻停下来过。

他必须要在月圆之前赶回去。

看到窗外的天色，他又想跳起来，失声道："我已睡了多久？"

秋凤梧道："不久，现在刚过戌时。"

他看着高立额上的冷汗，不禁皱了皱眉，道："你好像有急事？"

高立握紧双拳，黯然道："我本不想来的，可是我……我……"

秋凤梧道："你总该记得我说过，无论你们有了什么困难，都一定要先来找我。"

高立慢慢地点了点头，热泪几乎已忍不住要夺眶而出。

一个在危急时知道自己还有个可以患难相共的朋友，那种感觉世上绝没有任何事能代替。

秋凤梧凝视着他，一字字道："是不是他们已找到你？"

高立又点了点头。

秋凤梧的脸似已突然僵硬，慢慢地后退了几步，慢慢地坐了下去。

高立终于坐起来，道："来的只有一个人。"

秋凤梧道："谁？"

高立道："麻锋！"

秋凤梧松了口气，道："你已杀了他？"

高立垂下头，道："这两年来，我拿的是锄头，我已渐渐觉得耕耘比杀人快乐得多。"

秋凤梧道："所以你已不愿杀人？"

高立苦笑道："地是死的，我只怕我的枪法也死了。"

秋凤梧道："你只怕自己已不是他的对手？"

高立道："我的确没有把握。"

秋凤梧道："所以他还活着。"

高立道："还活着。"

秋凤梧道："现在他的人呢？"

高立道："在我家。"

秋凤梧怔住，他实在不懂，过了很久，才忍不住问道："双双呢？"

高立道："也在。"

秋凤梧脸色变了变，道："你将双双留在那里，自己一个人来的？"

高立脸上露出痛苦之色，道："就因为他想不到我会这么样做，所以我才能来。"

秋凤梧长长叹了口气，道："我也想不到。"

高立道："只要我能在月圆之前回去，双双是绝不会有危险的。"

秋凤梧道："为什么？"

高立道："因为我们约定了是在月圆之夕交手的。"

秋凤梧沉思着，又过了很久，忽然笑了笑，道："我明白了。"

高立道："明白了什么？"

秋凤梧道："他是一个人去的？"

高立道："是。"

秋凤梧道："他一个人没有杀你的把握，所以才故意多等几天，因为他已看出你更没有把握，他要在这几天尽量折磨你，使你整个人崩溃。"

高立苦笑道："也许他只不过是要我慢慢地死，他杀人一向不喜欢太快的。"

秋凤梧看着他，忽然发现这个人也已变了，变得很多。

他本是组织中最冷酷、最坚强的一个人，现在竟似已完全没有自信。

这是不是因为他已动了真情？

干这一行的人，本就不能动情的，愈冷酷的人，活得愈长。

因为情感本就能令人软弱。

高立忽然又道："但是他毕竟还是算错了一件事。"

秋凤梧道："哦。"

高立道："他以为小武已死了，他想不到我还有个朋友。"

干过这一行的人，本不该有朋友，不能有朋友，也不会有朋友。

秋凤梧又沉思了很久，才缓缓道："你也做错了一件事。"

高立道："我……"

秋凤梧道："你不该将双双留在那里，你本该叫双双来找我。"

高立道："就因为有双双，所以我才有顾忌，他怎么敢对双双怎么样呢？"

秋凤梧道："他也许不敢，但他却可以用双双来要挟你。"

高立道："他以前有过机会的，但却并没有这样做。"

秋凤梧道："这也许只不过因为那时他还没有看出你对双双的感情。"

他再次凝视高立，一字字道："我问你，你回去的时候，他若将剑架在双双的脖子上，要用双双的一条命，来换你的一条命，你怎么办？"

高立忽然全身冰冷。

秋凤梧冷然道："你就算明知你死了之后，双双也活不成，也必定不忍看着双双死在你面前的，是不是？"

高立倒了下去，倒在床上，冷汗如雨。

他忽然发觉这两年来秋凤梧不但更加成熟老练，思虑也更周密，已隐隐有一代宗主的气度和威仪。可是他无疑也变得冷酷了些。他所得到的，岂非也正是高立失去了的？但他们两人中，究竟是谁更幸福呢？

"幸与不幸，本就不是绝对的。"

你若想在这方面得到一些，就得在另一方面放弃一些，人生本就不必太认真的。

想到这里，高立忽然道："我若不让他有机会将剑架在双双的脖子上呢？"

秋凤梧笑了，微笑着道："这句话才渐渐有些像是你自己说的话了。"

高立道："我知道你现在已经是孔雀山庄的主人。"

秋凤梧道："家父已仙去。"

高立道："所以我来求你一件事。"

秋凤梧道："你说。"

高立道："你可以拒绝我，我绝不会怪你。"

秋凤梧在听着，脸上的表情忽然变得很奇怪，仿佛已猜出高立要说的是什么。

高立道："我要借你的孔雀翎。"

秋凤梧没有再说话，连一个字都没有说，只是看着自己的手。

高立也没有再开口，也在看着秋凤梧的手。

这双手修饰得很干净，保养得很好，这双手已不再是昔日那双沾了泥污和血腥的手了。

这个人呢？还是不是昔日那个可以将性命交给朋友的人？

窗外夜色渐浓。

屋里还没有燃灯，秋凤梧静静地坐在黑暗里，连指尖都没有动。

高立也已看不见他脸上的表情。

风吹过，院子里已有落叶的声音。

秋已渐深，斜月已挂上树梢。

秋凤梧还是没有说话，没有动。

高立也不再说什么，慢慢地坐起来，找到了床下的鞋子。

秋凤梧没有抬头。

高立穿上鞋，慢慢地从他身旁走过去，悄悄地推开了门。门外夜凉如水，他的心很冷，但他并不怪秋凤梧。

他知道自己的确要求得太多，他没有回头去看秋凤梧，因为，他不愿让秋凤梧觉得难受。他悄悄走出去，走到院子，拾起一片落叶，看了看，又轻轻放下。

然后他就感觉到一只手扶住他的肩头。

一只坚强而稳定的手，一只朋友的手。

他握住了这只手，回头就看见了秋凤梧，他眼睛里忽然又似有热泪要夺眶而出，他要求的确实太多。

可是对一个真心的朋友，无论什么样的要求，都不能算太多的。

03

甬道中没有声音。

所有的声音都已被隔绝在三尺厚的石墙外。

他们在这样的甬道里，几乎已走了将近半个时辰。

高立已不记得曾经转过多少次弯，上下过多少次石阶，通过了多少道铁门。

他觉得自己好像忽然走入了一座古代帝王的陵墓里，阴森、潮湿、神秘。

最后的一扇门更巨大，竟是三尺厚的钢板做成的，重逾千斤。

门上有十三道锁。

秋凤梧拍了拍手，看不见人的甬道中，就忽然出现了十二个人。

其中大多是老人，须发都已白了，最年轻的一个也有五十上下。

每个人的态度都很严肃，脚步都很轻健。

无论谁一眼都可看出，这十二人中没有一人不是高手。

每个人都从身上取出一柄钥匙，开启了一道锁。

钥匙是用铁链系在身上的。

最后的一柄钥匙在秋凤梧身上。

高立看着他开了最后一道锁，再回头，那十二个人已又突然消失。

难道他们并不是人，而是特地从地下出来看守这禁地的幽灵鬼魂。

门开了。

秋凤梧也不知在什么地方轻轻一拨，这道重逾千斤的铁门就奇迹般滑开了。

一股阴森的寒意，扑面而来。

门里面是间宽大的石屋，壁上已长满了青苔，燃着六盏长明灯。

灯光也是阴森森的，宛如鬼火。

石屋四周的兵器架上，有各式各样奇异的外门兵刃，有的连高立都从未见过。

秋凤梧推开了一块巨石，石壁间竟还藏着个铁柜。

孔雀翎想必就在这铁柜里。

直到这时，高立才真正明白自己要求的东西是多么珍贵。

就算是对最好的朋友，他要求的却似已是太多了。

秋凤梧已打开了铁柜，慢慢地取出了个金光闪闪的圆筒。

圆筒的外表很光滑，看来甚至很平凡，只不过是纯金铸造的。

愈神秘的事，外表看来往往愈平凡，也正因如此，所以它才能保持神秘。

秋凤梧用两只手捧着，送到高立面前。

他脸上的表情也变得很严肃，严肃得几乎已接近悲哀。

高立看着他，看着他手里的孔雀翎，心里忽然也有种很沉痛的感觉。

除了他们自己之外，谁也不会了解这种感觉是怎么来的。

过了很久，高立才长长叹息一声，道："你不必给我的。"

秋凤梧道："我已借给你。"

高立道："我……我一定会很快送回来。"

秋凤梧道："我相信。"

高立终于慢慢地伸出手。

他的指尖终于触到了这件神秘的暗器。

在这一瞬间，他心里忽然也涌出了一种无法形容的神秘感觉。

那就像一个凡人忽然触及了某种魔咒，他本身也忽然有了种神秘的魔力。

秋凤梧道："这上面有两道枢钮。"

高立道："我已看见。"

秋凤梧按着道："按下第一道钮，机簧就已发动，按下第二道钮，世上就没有人能救得了麻锋了。"

高立长长吐出口气，仿佛已能看见麻锋倒下去的样子。

秋凤梧沉默了很久，又缓缓地说道："我本该陪你一起去的，我若去了，也许就用不着这孔雀翎。"

高立道："我……我……"

秋凤梧道："我明白你的意思，你不愿我手上再沾着血腥，也不愿我再惹麻烦。"

高立叹了口气，道："这只因你现在的身份已不同。"

秋凤梧慢慢地点了点头，忽然笑道："有件事我忘了告诉你，我已有了个儿子。"

高立用手握了握他的手，道："下次来，我一定要看看他。"

秋凤梧道："你当然要看看他。"

高立道："我已答应。"

秋凤梧道："我还要你答应我一件事。"

高立道："你说。"

秋凤梧的态度又变得很严肃，缓缓道："孔雀翎并不是件杀人的暗器。"

高立愕然，道："它不是？"

秋凤梧道："不是，暗器也是种武器，武器的真正意义并不是杀人，而是止杀。"

高立点点头。

其实他并不能真正了解秋凤梧的意思，他忽又发现自己的思想与秋凤梧已有距离。

但是他不愿承认。

秋凤梧道："换句简单的话说，使用孔雀翎的真正目的，并不是杀人，而是救命，所以……"

他握紧高立的手，慢慢地接着道："所以我要你答应我，不到万不得已时，绝不要用它。"

高立长长吐出口气，现在他终于已完全了解秋凤梧的意思。

至少他自己认为已完全了解。

他已握紧秋凤梧的手，一字字道："我答应你，不到万不得已时，我绝不用它。"

高立挺起胸，走了出去。

他脚步已远比来时轻快了很多，因为他心里已不再有焦虑和恐惧。

现在孔雀翎已在他手里。

现在麻锋的性命也无异已被他捏在手里。

他已没什么可担心的，应该担心的人是麻锋。

04

每间屋子里通常都有张最舒服的椅子，这张椅子通常是属于男主人的。

这屋子的男人是高立。

此刻坐在最舒服的椅子上的人，却是麻锋。

他用最舒服的姿势坐着，看着站在他对面的双双，冷冷道："五天了，你丈夫已走了五天。”

双双点点头。

她站的姿势并不舒服。

无论用什么姿势站着，都绝不会有坐着舒服。

麻锋盯着她，又问道：“你不知道他到哪里去了？”

双双道：“不知道。”

麻锋道：“他会不会回来？”

双双道：“不知道。”

麻锋厉声道：“你什么都不知道？”

双双道：“我什么都不知道。”

麻锋道：“你没有问他？”

双双道：“没有。”

麻锋道：“但你是他的妻子。”

双双道：“就因为我还是他的妻子，所以才没有问他。”

麻锋道：“为什么？”

双双道：“男人最讨厌的，就是多嘴的女人，我若问得太多，他也许早就不要我了。”

麻锋握紧双拳，目中已现出怒意。

同样的话，他不知已问过多少次。

他在等着这女人疲倦、崩溃，等着她说实话，他没有用暴力，只因为他生怕这女人受不了——他当然也明白这女人若是死了，对他只有百害，而绝无一利。

现在他忽然发觉，感觉疲倦的并不是这女人，而是他自己。

他想不出是什么力量使这畸形残废的女人，支持到现在的。

双双忽然反问道：“你在担心什么？担心他找帮手？”

麻锋冷笑，道：“他找不到帮手的，他也像我一样，我们这种人，绝不会有朋友。”

双双淡淡道：“那么你还有什么好担心的？”

麻锋没有回答。

这句话本是他想问自己的。

高立就像是条早已被逼入绝路的野兽，只有等着别人宰割。

他也不知道自己为什么要担心。

过了很久，他才冷冷道：“无论他去干什么，反正总要回来的。”

双双道：“你这是在安慰自己？”

麻锋道：“哦。”

麻锋又道：“他若不回来，你就非死不可。”

双双叹了口气，道：“我知道。”

麻锋道：“他当然不会抛下你。”

双双道：“那倒不一定。”

麻锋道：“不一定？”

双双又叹了口气，苦笑道：“你也该看得出，我并不是个能令男人倾倒的女人。”

麻锋脸色变了变道：“可是他一向对你不错。”

双双道：“他的确对我不错，所以他现在就算抛下我，我也不会怪他。”她脸上的表情仿佛很凄凉、很悲痛，慢慢地接着道，“他就算回来，也一定不是为了我，而是为了你。”

麻锋道：“为了我？”

双双一字字道：“为了要杀你。”

麻锋的手突然僵硬，又过了很久，才冷笑着道：“你是不是怕我用你来要挟他，所以，才故意这么样说。”

双双道：“你要用我来要挟他？”

她忽然笑了，笑得很凄凉，接着道：“他是个怎么样的人，你应该比我更清楚，你们本是同样的人，你会不会为一个像我这样的女人牺牲自己？”

麻锋的脸色又变了变，冷冷地笑道：“他不会是我。”

双双道：“你以为他真的对我很好？”

麻锋道：“我看得出。”

双双叹道：“那也许只不过是他故意做出来要你看的。”

麻锋道：“为什么？”

双双道：“他故意要你认为他对我好，故意要你认为他绝不会抛下我，为的就是要你对他防守疏忽，他才好趁机溜走。”

她脸上又露出一种怨恨之色，咬着牙道：“他若真的对我好，就不会放心走了。”

麻锋怔住，只觉得自己的心在慢慢往下沉。

双双忽又道：“但他还是会回来的，因为你就算不杀他，他也要杀你。”

麻锋的手突然握住剑柄。

因为这时他也听见了一个人的脚步声。

脚步声轻快而平稳。

无论谁都可以听得出，走路的这个人心情和精神都一定很好。

就算听不出也看得出。

因为高立已大步走了进来，眼睛里发着光，显得说不出的精神抖擞。

他精神的确不错。

这两天来，他一直睡得很好——车厢里很舒服，他心里也已没有恐惧。

麻锋忽然觉得这张椅子很不舒服，坐的姿势也很不舒服。

高立却根本连看都没有看他一眼，好像这屋里根本就没有他这么样一个人存在。

双双当然听得出这是谁的脚步声，脸上立刻露出微笑，柔声道："你回来了？"

高立道："我回来了。"

双双道："晚饭你想吃什么？"

高立道："什么都行，我已经饿得发疯。"

双双又笑了，道："我们好像还有点咸肉，我去回锅炒一炒好不好？"

高立道："好极了，加点大蒜炒更好。"

看他的样子，就好像只不过刚出去逛了一圈回来似的，虽然走得有些累了，但现在总算已回到家，所以显得很愉快、很轻松。

麻锋盯着他，就好像从来没有见过这个人。

高立的确像是变成了另一个人。

他本来已是条被逼入绝路的野兽，但现在看来却好像是追捕野兽的猎人了。

一个经验丰富的猎人，充满了决心和自信。

是什么力量使他改变的?

麻锋更想不通。

他心里忽然有了种说不出的恐惧——人们对自己无法解释，无法了解的事，总是会觉得有些恐惧的。

双双已从他身旁走过去，走入厨房。

他没有阻拦，他本来也曾想用她来要挟高立的，但现在也不知为了什么，他忽然觉得自己这种想法很幼稚，很可笑。

厨房里已传出蒜爆咸肉的香气。

高立忽然笑了笑，道："她实在是个很会做菜的女人。"

麻锋点点头。

他摸不清高立的意思，所以只好点点头。

高立道："她也很懂得体谅丈夫。"

麻锋道："她的确不笨。"

这一点无论谁都无法否认。

高立微笑道："一个男人能娶到她这样的妻子，实在是运气。"

麻锋道："你究竟想说什么？"

高立缓缓地答道："我是说，你刚才若用她来要挟我，就算要我割下脑袋来，说不定也会给你。"

麻锋嘴角的肌肉突然扭曲，就好像被人塞入了个黄连，满嘴发苦。

高立淡淡道："只可惜现在已来不及了。"

他沉下了脸，一字字接着道："因为现在你只要一动，我就杀了你，我杀人并不一定要等到月圆的时候。"

他声音坚决而稳定，也正像是个法官在判决死囚。

麻锋笑了。

他的确在笑，但是他连自己都觉得自己笑得有些勉强。

高立道："你现在还可以笑，因为我可以让你等到月圆时再死，但死并不可笑。"

麻锋冷笑道："所以你笑不出？"

高立道："我笑不出，只因杀人也不可笑。"

麻锋道："你想用什么杀人？是用你那把破锄头？"

高立道："就算我用那把破锄头，也一样能杀了你。"

麻锋连笑都笑不出来。

他忽又觉得椅子太硬，硬得要命。

厨房里又传出双双的声音："饭冷了，吃蛋炒饭好不好？"

"好。"

"炒几碗？"

"两碗，我们一人一碗。"

"客人呢？"

"不必替他准备，他一定吃不下的。"

麻锋的确吃不下。

他只觉得自己的胃在收缩，几乎已忍不住要呕吐。

高立忽又向他笑了笑，道："你现在是不是有点想吐？"

麻锋道："我为什么会想吐？"

高立道："一个人在害怕的时候，通常都会觉得想吐的，我自己也有这种经验。"

麻锋冷笑道："你难道以为我怕你？"

高立道："你当然怕我，因为你自己想必也看得出，我随时都能杀了你。"

他忽然接着道："你现在还活着，只因为现在我还不想杀你。"

这句话麻锋听来实在很刺耳，因为这本是他自己说的。

高立冷冷道："我现在还不想杀你，只因为我一向不喜欢在空着肚子时杀人。"

麻锋盯着他，忽然跃起，一剑刺出。

这一剑快而准，准而狠。

这正是准确而致命的剑法，但却已不是他通常所用的剑法，已违背了他杀人的原则。

他杀人一向很慢的。

这一剑绝不慢，剑光一闪，已刺向高立咽喉。

高立坐着，坐在桌子后面，手放在桌下。

他坐着没有动。

可是他的枪突然间已从桌面下刺了出来。

剑尖距离他的咽喉还有三寸。

他没有动。

他的枪已刺入了麻锋下腹——

麻锋在动。

他整个人都像是在慢慢地收缩、枯萎。

他看着高立，眼睛里充满了惊讶、恐惧和疑惑，喘息着道：“你……你真的杀了我！”

高立道：“我说过，我要杀你。”

麻锋道：“你本来绝对杀不了我的。”

高立道：“但现在我已杀了你。”

麻锋道：“我……我不信。”

高立道：“你非相信不可。”

麻锋似乎还想再说什么，但喉头的肌肉也已僵硬。

高立道：“我本来也没有杀你的把握，但现在已有了，现在我随时可以再杀你一次。”

麻锋喉咙里“咯咯”地响个不停，仿佛在问：“为什么？”

高立缓缓道：“因为我还有个朋友——一个好朋友。”

麻锋的瞳孔突然散了，终于长长吐了口气。

然后他的人就像是个泄了气的球，突然变成了空的，突然干瘪。

他没有朋友。

他什么都没有。

05

高立张开了双臂，双双已扑入他怀里。

他们互相拥抱着，所有的灾难和不幸都已成过去。

经过了这么样一次考验后，他们的情感无疑会变得更深厚、更真挚。

他们已完全互相倚赖，互相信任，世上已没有什么事再能分开他们。

只可惜这也不是我们这故事的结束。

事实上，这故事现在才刚刚开始……

第六章

不是结局

01

世上有很多事你总以为是绝不可能发生的，但它却偏偏发生了。

而且就发生在你身上。

等你发现这事实时，往往已太迟。

夜色渐深。

他们没有燃灯，就这样静静地拥抱在黑暗里。

世上又还有什么事比情人在黑暗中拥抱更甜蜜幸福？

他们的幸福直到现在才真正开始。

只可惜开始往往就是结束。

02

双双心里充满了幸福和宁静，天地间似已充满了幸福和宁静。

风从窗外吹过，带着田中稻麦的香气。

收获的季节已快到了。

她轻抚着他的脸，指尖带着无限的怜惜和柔情，轻轻道："你瘦了。"

高立微笑道："很快我就会胖起来的。"

双双嫣然道："我喜欢你胖一点，明天我炖蹄髈给你吃。"

高立道："明天我们要出去。"

双双道："出去？到哪里去？"

高立道："去找小秋。"

双双的脸上发出了光，道："你要带着我一起去？"

高立道："当然，我带你去看他的孩子。"

双双大喜道："他有了孩子？"

高立柔声道："我们也会有孩子的。"

双双脸红了，全身都充满了对未来幸福的憧憬，这种感觉使她整个人都像要飞了起来。

过了很久，她才轻轻问道："你看见过他的妻子没有？"

高立道："没有，我走得很急。"

双双道："我相信那一定是个很好的女人，因为他也是个好男人。"

高立道："不但是好男人，也是个好朋友。"

他叹息着，接着道："除了他之外，无论谁都绝不会将孔雀翎借给我。"

双双道："孔雀翎究竟是什么？"

高立道："是一种暗器——但又不完全是种暗器。"

双双道："我不懂。"

高立道："我也很难说明白，总之它的意义和价值都比世上任何一种暗器超出很多，无论谁有了它，都会变成另外一个人的。"

双双道："变成另外一个人？"

高立点了点头，道："变得更有权威，更有自信。"

他笑了笑，接着道："我若非有了它，也许就不是麻锋的敌手。"

双双道："我还是不懂。"

高立道："你永远都不会懂的，甚至连我自己都不太懂。"

双双迟疑着，终于忍不住道："我……我能不能摸摸它？"

高立笑着："当然能，只不过千万不能去按那两个钮，否则……"

他声音突然停顿，笑容突然凝结，整个人都似已全都被冰凝结，就好像突然一脚踏空，自万丈绝壁上跌入了冰河里。

孔雀翎竟已不见了！

双双看不见他的脸色，但却忽然感觉到他全身都在发抖。

他这一生中，从未如此惊慌恐惧过。

他从未想到这种事竟会发生在他身上。

双双悄悄地离开了他怀抱。

她并没有问他发生了什么事，因为她已能感觉到，已能想象到。

只不过她还不能完全了解这件事有多么严重。

没有人能真的了解这件事有多么严重。

高立动也不动地坐在黑暗中，整个人都似已被埋入地下。

然后他突然发狂般冲了出去。

双双就在黑暗中等着他。

她知道他一定是到掩埋麻锋的尸身处寻找去了，她希望他能找到。

她只求不要再有什么不祥的灾祸降临到他们身上。

但也不知为了什么，她心里却已有了种不祥的预兆，眼泪也已流下。

风吹过，风声似已变为轻泣。

也不知过了多久，她终于听到了他的脚步声。

脚步声缓慢而沉重。

她的心沉了下去，悄悄擦干泪痕，忍不住问道：“找到了么？”

高立道：“没有。”

他的声音已因惊慌恐惧而嘶哑。

双双听着，心里就好像被针在刺着，轻轻道：“你想不出是在什么时候掉的？”

高立咬着牙，似乎恨不得咬断自己的咽喉。

他从未对自己如此痛恨过。

双双没有安慰他，因为她知道现在无论怎么样的安慰都已无用。

她只能想法子诱导他的思想，所以她就试着道：“你回来的时候，孔雀翎已不在身上？”

高立道：“嗯。”

双双道：“你没有摸过。”

高立道：“我……我想不到会掉的。”

他当然想不到。

所有的悲剧和不幸，正都是在想不到的情况下才会发生。

双双又忍不住道：“你杀麻锋的时候，身上并没有孔雀翎？”

高立道：“一定已没有，否则它一定就掉在附近。”

双双道：“你身上并没有孔雀翎，却还是一样杀了他。”

高立的双拳握紧。

他现在才明白，纵然没有孔雀翎，他还是一样有杀麻锋的力量。

只可惜他现在才明白已太迟了。

双双叹息了一声，道：“你最后是在什么地方看过它的？”

高立沉吟着，道：“在车上。”

在车上他还摸过它，那种光滑坚实的感觉，还使他全身都兴奋得发热。

然后他就完全放松了自己，因为这世上已没有什么值得他担心的事。

双双道："会不会是在车上掉的？"

高立道："很可能。"

双双道："那辆车呢？"

高立道："已走了。"

双双道："你在什么地方雇的车？"

高立道："在路上。"

双双道："你有没有注意那是辆什么车？"

高立道："没有。"

双双道："也没有看清赶车的人？"

高立垂下头，握紧双拳，指甲已刺入肉里。

那时他实在太愉快、太兴奋，竟完全没有注意到别的人、别的事。

最不幸的是，他为了不愿被人发现自己的行踪，在路上还换过两次车。

双双的心又沉了下去，她知道他们恐怕已永远无法找回那孔雀翎了。

一个人失去的东西愈珍贵，往往就愈是难找回来。

无论你失去的是孔雀翎也好，是情感也好，结果往往是同样的。

双双勉强忍着目中的泪水，轻轻道："现在你准备怎么样？"

高立道："我……我不知道。"

双双道："你当然要去告诉他。"

高立道："当然。"

双双道："无论如何，这总不是你有心犯的错，他也许会原谅你……”

高立黯然道：“他绝不会……若换了我，也绝不会原谅他。”

双双道：“为什么？”

高立长长叹息，道：“你也许永远都不会了解孔雀翎对他们有多重要，可是我了解。”

双双道：“也许……也许我们可以想法子赔给他。”

高立道：“没有法子。”

他的声音更苦涩，忽又接着道：“也许只有一种法子。”

双双的脸忽然也因恐惧而扭曲。

她已明白他的意思。

一个人若犯了种无法弥补、不可原谅的错误时，通常只有用一种法子来赎罪。

死!

她忍不住扑过去，紧紧拥抱住他，嗄声道：“你绝不能走这条路。”

高立黯然道：“我还能走什么别的路？”

双双道：“我们可以走……走到别的地方去，永远不要再见他。”

高立忽然推开了她。

这是他生平第一次将她从自己怀里推开。

他并没有太用力，但双双却只觉得整个人都被他推得沉落了下去。

她忍不住道：“你……你这是为什么？”

高立咬着牙，一字字道：“我想不到，想不到你会叫我做这种事。”

双双道：“可是他……”

高立打断了她的话，道：“我杀过人，甚至杀过很多不该杀的人，也做过很多不该做的事，可是我从未出卖过朋友。”

他声音突又嘶哑，接道：“这也许只因为我从未有过朋友，我只有这么样一个朋友。”

双双垂下头，泪珠又泉水般涌出。

高立慢慢地接着道：“我知道我不能死，为了你，为了我们，我绝不能死，所以我才想尽一切法子要活下去，可是这一次……”

双双嘶声道：“这一次你难道不能……”

高立又打断了她的话，道：“这一次不同，因为我了解孔雀翎对他们的价值，也了解他是在多么困难的情况下，冒着多么大的危险，才将孔雀翎交给我的，这世上从未有人像他这么样信任过我，所以我绝不能亏负他，死也不能亏负他。”

双双咬着嘴唇，道：“所以你一定要去告诉他这件事。”

高立道：“一定。”

他声音里充满了决心和勇气。

这种勇气才是真正的勇气。

双双垂着头，过了很久，才轻轻道：“我本来以为你会为我做出任何事的。”

高立道：“只有这件事例外。”

双双道：“我明白，所以……我虽然很伤心，却又很高兴。”

她声音忽然变得非常地平静，慢慢地接着道：“因为我毕竟没有看错你，你实在是个值得我骄傲的男人。”

高立握紧着的双拳，慢慢松开，终于又俯下身，拥抱住她。

又过了很久，他才黯然叹息道：“这一次我知道我没有做错，我已不能再错了，现在我只觉得对不起一个人……我对不起你。”

双双柔声道：“你没有对不起我，因为你就是我，我就是你。”

高立没有再说什么，这句话就已经足够代表一切。

你就是我，我就是你。

无论什么样的灾祸和不幸，都应该两个人一起承当的。

你若有了个这么样的妻子，你还能说什么？

黑暗。没有星光，也没有月光，黑暗得可怕。

他们静静地拥抱在黑暗里，等待着黎明。

他们这一生好像永远都是活在黑暗中，但他们还是觉得比大多数人都幸福。

因为他们的生命中已有了真情，一种永远没有任何事能代替的真情。

所以他们的生命已有了价值。

这点才是最重要的。

03

秋已很深了。

木叶已开始凋零，尤其是有风吹过的时候，秋意就又更深了几分。

但秋色还是美丽的。

一种凄艳而感人的美丽，浓得就像是醇酒。

你如也站在这里，你不饮就已醉了。

高立站在这里，站在树下，等着。

他实在没有勇气去见秋凤梧的家人。

这打击对孔雀山庄是多么大，他已能想象到。

秋凤梧随时都可能出现，已经有人去通报，两只孔雀慢慢地在枫林中徜徉，用嘴梳理着它们美丽的羽毛。

枫叶已红了。

高立痴痴地站着，痴痴地看着，心里一阵阵刺痛，他实在不知道当自己面对秋凤梧时，该怎么样说才好。

他几乎已没有勇气再等下去。

草地上已有脚步声传来，他竟不敢回头去面对着他。

他感觉有一只手已搭上了他的肩，一只稳定而充满了友情的手。

一个稳定而充满了友情的声音。

“你来了，我知道你一定很快就会来的。”

他已不能不回头。

然后他就看到了秋凤梧的微笑——一种温和而充满了友情的微笑。

他心里的刺痛更剧烈。

这种永恒不变的友情，忽然变得像根针，似已将他的心刺得流血。

秋凤梧微笑着道：“你看来好像很疲倦。”

高立点点头。

他不但疲倦，简直已将崩溃。

秋凤梧道：“其实你用不着这么急赶来的。”

高立道：“我……”

他刚想说出来，就仿佛有双看不见的手扼住了他的咽喉。

秋凤梧道：“事情已经解决了？”

高立又点点头。

秋凤梧道：“你没有用孔雀翎？”

高立摇摇头。

秋凤梧笑道："我早就知道你根本不必用它，麻锋根本不是你的对手。"

高立道："可是我……"

秋凤梧忽然发现他神情的异样，立刻问道："你怎么一个人来的？双双呢？"

高立道："她……她很好。"

秋凤梧松了口气，道："她怎么不来看看我的孩子？"

高立道："她……她……"

他终于鼓足勇气，大声道："她没有来，因为她知道我对不起你。"

秋凤梧皱眉道："你对不起我？……你怎么会对不起我？"

高立道："我已将你的孔雀翎掉了。"

他用最大的勇气说出这句话，然后他整个人都似已崩溃。

没有声音，没有反应。

他不敢想象秋凤梧听了这句话后，脸上是什么表情。

他已不敢去面对秋凤梧的脸。

有风吹过，枯叶飘飘地落下来，一片、两片、三片……

日色渐渐淡了，秋意却更浓。

秋凤梧还是没有说一句话，没有说一个字。

高立终于忍不住抬起头。

秋凤梧就像是石像般站在那里，脸上连一点表情都没有，脸色却苍白得就像是远山上树梢头的秋霜。

他就这样静静地站着，动也不动。

落叶飘过他的头，落在他脚下。

他没有动。

落叶飘过他的眼前，打在他脸上。

他没有动，甚至连眼都没有眨。

日已西斜，夕阳红得就像是血一样。

枫林也红得像是血一样。

然后暮色就像是一面网，重重地落下来，笼罩住他。

他脸上已没有光彩，眼睛也已没有光彩。

他还是没有动，没有说话。

高立看着他，只恨不得将自己撕开、割碎，一块块洒入风里，洒入泥里，洒入火里，被人烧成灰。

秋凤梧若是重重地骂他一顿，打他一顿，甚至一刀杀了他，他也许还好受些。

但秋凤梧却似已完全麻木。

天地间的万事万物，他似已完全看不见，听不见，也感觉不到。

要多么可怕的打击，多么沉痛的悲哀，才能使一个人变成这样子？

高立忍不住要问自己："我若是他，我会怎么样？"

他想不出。

他连想都不敢想。

秋凤梧现在是不是也在问自己，该怎么样来对付自己？

现在他只等着秋凤梧的一句话。

秋凤梧叫他死，他就死，叫他立刻死，他绝不会再多活片刻。

可是秋凤梧没有说话。

暮色渐深，夜色将临。

一个青衣老仆悄悄地走过来，躬身道："庄主，晚膳已开了。"

秋凤梧没有回答，根本没有听见。

青衣老仆看着他，目中也现出忧郁之色，终于又悄悄地退了下去。

夜色突然就像是一只黑色的巨手，攫取了整个大地。

风更冷了。

高立用力咬住牙，用力握紧了双拳，却还是忍不住颤抖起来。

为了赎罪，他可以忍受各种羞辱，各种痛苦，甚至可以忍受死的痛苦。

但这种可怕的沉默，却已将使他发狂。

他几乎已忍不住要将自己毁灭。

又有风吹过。

秋凤梧忽然抬起头，看了看风中的落叶，轻轻道："今天有风。"

高立握紧双拳，过了很久，才慢慢地点了点头，道："是，今天有风。"

秋凤梧道："天天都有风。"

高立道："是，天天都有风。"

秋凤梧道："有风很好。"

高立终于忍不住大声道："你究竟想说什么？你为什么不说？"

秋凤梧这才转过头，看着他。

看了很久很久，才长长叹息了一声，道："你是个好朋友，我一向知道可以信任你。"

高立嗄声道："你不该信任我的。"

秋凤梧似又听不见他在说什么，慢慢地接着道："你答应过我，要看看我的孩子的。"

高立又沉默了很久，终于也长长叹息了一声，道："我答应过你。"

秋凤梧道："现在孩子还没有睡。"

高立道："你要我现在去看他？"

秋凤梧道："我带你去。"

草色也已枯黄。

在春天，这里想必是绿草如茵，但现在已是浓秋，愁煞人的浓秋。

远处有灯光闪耀，亮得就像是情人的眸子。

但高立却看不见。

他眼前只有一片黑暗，心里也只有一片黑暗。

秋凤梧慢慢地在前面走，脚步单调而沉重。

高立在后面跟着。

他记得上次也曾这样跟在秋凤梧后面走，走了很久，走了很远。

那正是他刚救了百里长青之后。

那时他虽然明知随时都可能有人来找他报复，明知随时都可能会有杀身之祸，但心里却还是很快乐。

因为他已救了一个人，已帮助过别人。

因为他已有了朋友。

但现在呢？

无心犯的错，有时往往比有心犯的错更可怕。

这又是为了什么？

老天为什么要叫他无心中犯下这致命的、不可宽恕、不可补救的错误。

他为什么不小心些？为什么要那么疏忽？

猛抬头，他的人已在灯火辉煌处。

灯光辉煌。

一个白发苍苍的老妇人，端坐在紫檀木的椅子上，脸上带着温和而慈祥的微笑。

“这是家母。”

一个温柔的少妇，端庄而贤淑，正是春花般的年华，春花般的美丽。

也许就因为她自己心里充满幸福，所以对每个人都很亲切，尤其是对她丈夫的好朋友。

“这是我的妻子。”

一个可爱的孩子，红红的脸，大大的眼睛，健康而活泼。

对他说来，人生还未开始，但他这一生想必是幸福和愉快的。

因为他有个很好的家庭，很好的父母，他本就是个天生就应该享受幸福的人。

“这就是我的孩子。”

高立看着、听着，脸上带着有礼貌的微笑。

“这就是我的朋友高立，我平生唯一最好的朋友。”

高立的心又像是在被针刺着，又开始流血。

他几乎已忍不住要拔脚飞奔出去，他实在没有脸面对这些人。

他们若知道他已将孔雀翎遗失了，是不是还会对他如此亲切?

秋老夫人正微笑着道：“凤梧常常提起你，这次你一定要在这里多留几天。”

高立的喉头似已被堵塞，用尽全身力气，才能勉强笑了笑，点了点头。

秋凤梧美丽的妻子正在逗她的孩子，道：“叫高伯伯，高伯伯下次买糖给你吃。”

孩子只有周岁，当然还不会叫高伯伯，也根本听不懂别人说的话。

可是他会笑。

他看见高立，就吃吃地笑着。

大家都笑了。

秋老夫人笑得更慈祥，道：“孩子喜欢高叔叔，高叔叔一定会为这孩子带来很多福气。”

高立的心已将碎裂。

只有他自己知道，他为这家人带来的并不是福气，而是灾祸。

幸好秋凤梧并没有要他留下去。

“我再带他到外面去看看，这是他第一次来，有很多地方他都没有看过。”

高立的确有很多地方都没有看过，事实上，他根本没到过如此瑰丽、如此庄严的地方。

在夜色中看来，这地方更接近神话中的殿堂。

秋凤梧道：“这里一共有九重院落，其中大部分是在两百七十年前建造的，经历了三代，才总算使这地方看来略具规模。”

其实这地方又何止略具规模而已，看来这简直已接近奇迹。

秋凤梧道：“这的确是奇迹，经过了两次战乱劫火，这地方居然还太平无恙。”

后院的照壁前，悬着十二盏彩灯，辉煌的灯光，照着壁上一幅巨大的图画。

画的是数十个相貌狰狞的大汉，拿着各种不同的武器，但目中却都带着惊惶和恐惧之色。

因为一位白面书生手里的黄金圆筒里，已发出了彩虹般的光芒。

比彩虹更美丽辉煌的光芒。

秋凤梧道：“这幅图画，说的是一百多年前的一件事。”

高立在听着。

秋凤梧道：“那时黑道上的三十六魔星，为了要毁灭这地方，竟然结下血盟，联手来攻，这三十六人武功之高，据说已可无敌于天下。”

高立忍不住问道：“后来呢？”

秋凤梧淡淡道：“这三十六人没有一个能活着回去的。”

他又接着道：“自从那一役之后，江湖中就没有人敢来轻犯孔雀山庄，孔雀翎这三个字，才从此传遍天下。”

灯火渐渐疏了。

这一重院落里，仿佛带着种说不出的阴森凄凉之意，连灯光都仿佛是惨碧的。

他们穿过一片枯林，一丛斑竹，走过一段九曲桥，才走到这里。

这里就像是另外一个世界，另外一种天地。

高大的屋宇阴森而寒冷。

屋子里点着百余盏长明灯，阴恻恻的灯光，看来竟如鬼火。

每盏灯前，都有个灵位。

高立第一眼看见的是：“太行霸主，山西雁孙复之位”“崆峒山风道人之位”。

这两个人的名字高立是听过的，不久以前，他们还是江湖中不可一世的风云人物。

秋凤梧看着这一排排灵位，面上的表情更严肃，缓缓道：“这些都是死在孔雀翎之下的人。”

三百年来，死在孔雀翎下的人还不到三百个，这显然表示孔雀翎并不是轻易就可动用的。

能死在孔雀翎下的，纵然不是一派宗主，也是绝顶高手。

秋凤梧道：“先祖为了怕子孙杀孽太重，所以才在这里设下他们的灵位，超度他们的亡魂，只望他们的冤仇不要结到下一代去。”

他叹了口气，接着道：“只可惜他们的后人，还是有很多想到这里来复仇的。”

高立没有说话。

他心里在想着一件很奇怪，也很可怕的事。

他好像已在这里看到了他自己的名字。

04

甬道长而曲折。

这地方高立已来过一次，来拿孔雀翎。

现在秋凤梧为什么又带他到这里来呢？

他没有问。

秋凤梧无论要带他到哪里去，他都不会问。

无论多恐惧的命运，他都已准备接受。

掌声一响。

甬道又出现了那十二个幽灵般的人。

十二把钥匙，开了十二道锁。

于是他们就又走进了那神秘、阴森、幽暗的石室，就像是走进了一座坟墓。

石室中有两张古老而笨拙的石椅，上面已积满了灰尘和青苔。

秋凤梧道：“坐。”

高立坐了下去。

秋凤梧却转过身，从石壁间取出了一小坛密封着的酒。

拍碎封泥，酒香芬冽。

秋凤梧道：“这是窖藏已有百年的汾酒。”

高立道：“好酒。”

酒杯也是石雕的，同样古老而笨拙。

秋凤梧坐下来，斟满两杯，道："好酒不可不喝。"

高立举杯一饮而尽。

秋凤梧凝视着他，道："我们已有很久没有在一起喝酒了。"

高立点点头，道："的确已很久。"

秋凤梧轻轻叹息，道："这些年来，有很多事都已变了。"

高立听着。

秋凤梧道："但我们的交情却未变。"

高立又斟满一杯，仰首饮尽。

秋凤梧道："我没有兄弟，而你就是我的兄弟。"

高立握紧酒杯。

酒杯若非石杯，早已被捏碎。

秋凤梧道："所以有句话我不能不对你说。"

高立道："我在听着。"

秋凤梧道："你遗失了孔雀翎，心里一定很难受，也许比我还难受。"

高立垂下头，斟酒，饮尽。

芬芳香冽的美酒，忽然变成苦的。

秋凤梧道："我了解你的心情，若换了我，也许就不敢再到这里来了。"

高立面上露出痛苦之色，缓缓道："我不能不来，因为你信任我。"

秋凤梧道："并不是每个人都有这种勇气的，我有你这种朋友，我实在很骄傲。"

高立道："可是我……"

秋凤梧打断了他的话，道："你也信任我，正如我信任你一样。"

高立点点头。

秋凤梧面上的表情忽然变得很奇特，一字字道："所以你一直相信那孔雀翎是真的。"

高立整个人突然抽紧，失声道："难道那孔雀翎不是真的？"

秋凤梧道："不是。"

"叮"地，酒杯落地。

高立突然变得像是一条冻死在冰中的鱼。

没有人能形容他此刻的心情，也没有人能形容他此刻的表情。

他看着秋凤梧，就像是看到旭日忽然落下，大地忽然分裂。

然后他的人就软瘫在石椅上，完完全全崩溃。

不是绝望的崩溃，是喜极的崩溃，连眼泪都忍不住夺眶而出。

当然也不是悲伤的眼泪。

他这一生从未如此欢喜过，那就像是一个已被判处极刑的死囚，忽然得到大赦。

秋凤梧凝视着他，目中却反而充满了痛苦，过了很久，才缓缓道："我告诉你这件事，只因为我不愿你为此痛苦。"

高立不停地点着头，心里的确充满了感激。

但他还是忍不住要问："真的孔雀翎呢？"

秋凤梧道："没有真的。"

高立又一惊，失声道："没有真的？"

秋凤梧道："没有，根本没有。"

他长长叹息了一声，苦笑着道："真的孔雀翎，已被先父遗失在泰山之巅了。"

高立道："那……那么岂非已是多年以前的事情？"

秋凤梧点点头，道："的确已有多年了，那正是先父与金老前辈泰山决战后。"

高立道："但江湖中却从未有人说起过这件事。"

秋凤梧道："当然没有。"

高立道："为什么？"

秋凤梧道："因为从来也没有人知道这件事，甚至连我都不知道。"

高立道："可是你……"

秋凤梧道："先父在临终之前，才将这秘密告诉了我。"

高立道："只告诉了你一个人？"

秋凤梧道："只告诉了我一个人。"

高立道："我……"

秋凤梧凝视着他，缓缓道："你是第三个知道这件事的人。"

他目中的痛苦之色更深，接着道："先父说出这秘密时，曾经叫我立下重誓，要我将这秘密一直保守到临死时，再告诉我的儿子。"

高立的脸色又变了，道："但你却告诉了我。"

秋凤梧黯然长叹，道："因为你是我的好朋友，我不愿你为了这件事负疚终生。"

这是何等伟大的友情。

世上还有什么事能比这种友情更珍贵？

高立垂下了头。

他宁愿秋凤梧没有告诉他这秘密，他忽然发觉现在的负担更重。

秋凤梧道："你杀麻锋的时候，并没有用孔雀翎。"

高立道："那时孔雀翎已不在我身上了。"

秋凤梧道："我早就知道你不用孔雀翎，一样可以杀了他。"

高立道："你早就知道？"

秋凤梧点点头，道："我很了解你的武功，也很了解你。"

高立承认。

他不能不承认。

秋凤梧道："以你的武功，江湖中已很少有人是你对手，可是你自己却缺乏信心，所以……"

高立道："所以你才将那个假的孔雀翎借给了我。"

秋凤梧道："不错。"

高立道："所以你才再三叮咛我，不到万不得已时，绝不要用它。"

秋凤梧道："我早就知道你根本用不着它。"

他表情又严肃起来，接着道："孔雀翎并不只是种武器，而是一种力量。"

高立道："我听你说过。"

秋凤梧道："你虽然不必用它，但它却可以带给你信心。"

高立当然也不能不承认。

秋凤梧道："只要你有了信心，麻锋就绝不是你的敌手。"

他忽然改变话题，又道："只要孔雀翎存在一天，江湖中就没有人敢来轻犯孔雀山庄，这道理也是一样。"

高立道："这道理我明白。"

秋凤梧道："孔雀山庄三百年的声名，八十里的基业，五百条人命，其实本都是建筑在一个小小的孔雀翎上。"

他表情更严肃，慢慢地接着道："孔雀翎若已不存在，孔雀山庄也就会跟着毁灭。"

三百年的声名，八十里的基业，五百条人命全都毁灭。

他幸福美满的家庭当然也得毁灭。

高立忽然明白，秋凤梧刚才为什么要带他去看他的家人了。

还有那些死在孔雀翎下的亡魂灵位。

这些人的后代子孙，若知道孔雀翎已不存在，当然不会放过秋家的人。

江湖人心中的仇恨，本来就是永远也化解不开的。

秋凤梧长叹道：“像我们这种武林世家的声名，就像是一副很沉重的担子，你只要一接下它，就得永远挑下去。”

他慢慢地接着道：“我本来不想接下这副担子的，我本来认为先人创下的声名，和他们的子孙并没有关系。”

高立道：“现在呢？”

秋凤梧忽然笑了笑，笑得很伤感，道：“现在我才知道，我既然生下来是姓秋的人，我就得挑起这副担子，既不能推诿，也不能逃避。”

高立面上带着沉思之色，缓缓道：“这担子虽重，但却也是种荣誉。”

其实那并不仅是种荣誉，也是种神圣的责任和义务。

“孔雀山庄的子孙只要活着一天，就得为这种责任和荣誉奋斗到底。”

这就是他们生存的目的。

他们根本完全没有选择的余地。

秋凤梧再次凝视着高立，缓缓道：“所以我绝不能让孔雀山庄的声名，毁在我手里。”

高立的神色忽然变得很平静，仿佛已下定了决心。

秋凤梧的嘴唇却已发白，接着道：“所以我绝不能让任何人知道这秘密。”

高立慢慢地点了点头，道：“我明白。”

秋凤梧道：“你真的明白？”

高立道：“真的。”

秋凤梧忽然不再说话，也不敢再看高立。

他眼睛里竟忽然充满了悲伤和痛苦，一种无可奈何、无法化解的悲伤和痛苦。

人为什么总是要做一些他不愿做，也不忍做的事呢？

这岂非也正是全人类的悲伤和痛苦。

没有风，但寒意却更重了。

阴恻恻的灯光似已完全静止、凝结，人的心似也被冻住。

“我会让双双好好活着的。”

“当然。”

酒是苦的，好苦。

酒既已在杯中，无论多么苦，都得喝下去。

是苦酒也好，是毒酒也好，你都得喝下去。

秋凤梧慢慢地站起来，转过身。

他没有再说什么，但等他走出门时，却又回头道：“我还有件事忘了告诉你。”

高立在听着。

秋凤梧道：“北六省镖局的联盟已成立，盟主正是百里长青。”

高立灰暗的眼睛里，突然爆出了一串火花。

一串辉煌闪亮的火花。

秋凤梧已走了出去。

又过了很久，高立才缓缓道：“谢谢你，谢谢你告诉我这件事。”

他真的感激。

因为他忽然觉得自己这一生活得更有意义，他已完全满足。

他爱过，也被人爱过。

他已为别人做了件很有意义、很有价值的事，已无愧这一生。

秋凤梧面前的酒始终没有动过。

高立就将这杯酒也喝了下去。

是苦酒也好，是毒酒也好，他都得喝下去。

这就是人生!

人生中有些事，无论你愿做也好，不愿做也好，都是你非做不可的。

一个人若能平平静静地死，有时甚至比平平静静地活着更不容易。

05

深夜，无星无月。

风好冷。

秋凤梧慢慢地走出来，走到院子里。

榕树的叶子正一片片落下来。

他静静地站了很久，竟似完全没有发觉他的妻子已走到他身旁，她轻轻地依偎着他，在她心目中，天地间永远都如此幸福宁静，所以她永远希望别人也同样幸福。

过了很久，她才轻轻问："你那朋友呢？"

"走了。"

"走了？为什么要走？"

秋凤梧没有回答，却俯下身，拾起片落叶。

他凝视这片落叶，眼睛里又充满了那种无可奈何的痛苦和悲伤。

树叶又何尝愿意被风吹落?

一个人的生命，有时候岂非也正如这片落叶一样。

这故事也给了我们个教训。

真正的胜利，并不是你能用武器争取的，那一定要用你的信心。

无论多可怕的武器，也比不上人类的信心。

所以我说的这第二种武器，并不是孔雀翎，而是信心！

《七种武器：长生剑·孔雀翎》完

相关情节请看《七种武器2：碧玉刀·多情环》

古龙经典

第一辑

古龙经典 *01* 《绝代双骄》（一）
古龙经典 *02* 《绝代双骄》（二）
古龙经典 *03* 《绝代双骄》（三）
古龙经典 *04* 《绝代双骄》（四）
古龙经典 *05* 《七种武器：长生剑·孔雀翎》
古龙经典 *06* 《七种武器2：碧玉刀·多情环》
古龙经典 *07* 《七种武器3：离别钩·霸王枪》
古龙经典 *08* 《七种武器4：愤怒的小马·七杀手》
古龙经典 *09* 《欢乐英雄》（上）
古龙经典 *10* 《欢乐英雄》（下）
古龙经典 *11* 《三少爷的剑》
古龙经典 *12* 《英雄无泪》
古龙经典 *13* 《大地飞鹰》（上）
古龙经典 *14* 《大地飞鹰》（下）
古龙经典 *15* 《彩环曲》
古龙经典 *16* 《剑客行》（上）
古龙经典 *17* 《剑客行》（下）

第二辑

古龙经典 *18* 《小李飞刀：多情剑客无情剑》（上）

古龙经典 *19* 《小李飞刀：多情剑客无情剑》（中）

古龙经典 *20* 《小李飞刀：多情剑客无情剑》（下）

古龙经典 *21* 《小李飞刀2：边城浪子》（上）

古龙经典 *22* 《小李飞刀2：边城浪子》（下）

古龙经典 *23* 《小李飞刀3：九月鹰飞》（上）

古龙经典 *24* 《小李飞刀3：九月鹰飞》（下）

古龙经典 *25* 《小李飞刀4：天涯·明月·刀》（上）

古龙经典 *26* 《小李飞刀4：天涯·明月·刀》（下）

古龙经典 *27* 《流星·蝴蝶·剑》（上）

古龙经典 *28* 《流星·蝴蝶·剑》（下）

古龙经典 *29* 《圆月弯刀》（上）

古龙经典 *30* 《圆月弯刀》（下）

古龙经典 *31* 《七星龙王》

古龙经典 *32* 《绝不低头》

古龙经典 *33* 《苍穹神剑》

古龙经典 *34* 《月异星邪》

古龙经典 *35* 《飘香剑雨》（上）

古龙经典 *36* 《飘香剑雨》（下）

第三辑

古龙经典 *37* 《陆小凤传奇：金鹏王朝》

古龙经典 *38* 《陆小凤传奇2：绣花大盗》

古龙经典 *39* 《陆小凤传奇3：决战前后》

古龙经典 *40* 《陆小凤传奇4：银钩赌坊》

古龙经典 *41* 《陆小凤传奇5：幽灵山庄》

古龙经典 *42* 《陆小凤传奇6：凤舞九天》

古龙经典 *43* 《陆小凤传奇7：剑神一笑》

古龙经典 *44* 《白玉老虎》（上）

古龙经典 *45* 《白玉老虎》（下）

古龙经典 *46* 《名剑风流》（上）

古龙经典 *47* 《名剑风流》（中）

古龙经典 *48* 《名剑风流》（下）

古龙经典 *49* 《碧血洗银枪》

古龙经典 *50* 《猎鹰·赌局》

古龙经典 *51* 《血鹦鹉》（上）

古龙经典 *52* 《血鹦鹉》（下）

古龙经典 *53* 《游侠录》

古龙经典 *54* 《失魂引》

第四辑

古龙经典 *55* 《楚留香新传：借尸还魂》
古龙经典 *56* 《楚留香新传2：蝙蝠传奇》
古龙经典 *57* 《楚留香新传3：桃花传奇》
古龙经典 *58* 《楚留香新传4：新月传奇·午夜兰花》
古龙经典 *59* 《萧十一郎》
古龙经典 *60* 《火并萧十一郎》
古龙经典 *61* 《武林外史》（上）
古龙经典 *62* 《武林外史》（中）
古龙经典 *63* 《武林外史》（下）
古龙经典 *64* 《大人物》
古龙经典 *65* 《风铃中的刀声》
古龙经典 *66* 《护花铃》（上）
古龙经典 *67* 《护花铃》（下）
古龙经典 *68* 《剑毒梅香》（上）
古龙经典 *69* 《剑毒梅香》（中）
古龙经典 *70* 《剑毒梅香》（下）